ひとりだちするための国語ワーク 1 ―読む・書く編―

本書には、縦書きと横書きのページがありますが、ページは右から左へとめくってください。小説や新聞は主に縦書きですが、実生活では、広告・雑誌・WEB サイト・メールなど横書きが多く使われているため、織り交ぜた構成にしています。また、グラフや計算など異なるジャンルの問題も組み込んでいます。

問題のレベルは簡単なものから少し難しいものまで用意しました。巻末に解答例を用意していますので、参考にしてください。難しい問題も、一度自分で考えてみてから解答例を見ることで学びになります。もちろん、どのページから始めても大丈夫です。

もくじ

1 言葉についての学習

2 文章についての学習

3 日常場面の読む・書く

4 仕事場面の読む・書く

1

言葉(ことば)についての学習(がくしゅう)

1　言葉のグループ分け

1 次の言葉を、3 つのグループに分けましょう。

テーブル	りんご	ねこ	ライオン	
キリン	机	グレープフルーツ	くじら	
キウイ	さる	たな	いす	桃

❶

❷

❸

2 次の言葉のグループに共通する特ちょうを書きましょう。

❶ ポスト、トマト、りんご

❷ ジュース、お茶、コーヒー、牛乳

❸ 月、風船、ボール、シャボン玉

❹ 歯ブラシ、かがみ、ブラシ、タオル

● 自分でも言葉のグループを作ってみましょう。

言葉
特ちょう

2 様子を表す言葉

1 次の文の ［　　］ にあてはまる言葉を、後ろの ［　　］ から選んで書きましょう。

❶ 本を ［　　　　］ 読む。

❷ 風が ［　　　　］ ふく。

❸ 発表会の前は、［　　　　］ する。

❹ お腹が空いたので、ご飯を ［　　　　］ 食べる。

ピカピカ　ビュービュー　ザーザー　モリモリ
フワフワ　スラスラ　キラキラ　ドキドキ

●上の問題で選んでいない言葉を使って、文章を作りましょう。

2 次の文の ＿＿ にあてはまる言葉を、後ろの ＿＿ から選んで書きましょう。

❶ お湯は ＿＿。

❷ 氷は ＿＿。

❸ チョコレートは ＿＿。

❹ トウガラシは ＿＿。

❺ 夜は、電気をつけないと部屋が ＿＿。

甘い　冷たい　からい　固い　やわらかい
明るい　暗い　きれい　あたたかい

● 上の問題で選んでいない言葉を使って、文章を作りましょう。

3 次の文の ＿＿ にあてはまる言葉を、後ろの ＿＿ から選んで書きましょう。

❶ 走るのは苦手なので、マラソンは ＿＿＿＿ 。

❷ むずかしいクイズが解けると ＿＿＿＿ 。

❸ 新しいマンガを読むのは ＿＿＿＿ 。

❹ 旅行から家に帰ると ＿＿＿＿ 。

簡単だ　　つらい　　ワクワクする　　むずかしい

気持ちいい　　ほっとする　　イライラする　　すっきりする

● 上の問題で選んでいない言葉を使って、文章を作りましょう。

4 次の言葉を、文にあてはまるように変化させせたり語尾に付けたして［　　］に書きこみましょう。

うれしい

❶ 昨日はマラソン大会で優勝できたので、［　　　　］。

❷ 予選で負けてしまったので、少しも［　　　　］。

❸ 明日プレゼントをもらえたら、きっと［　　　　］。

小さい

❹ 先週見た猫はとても、［　　　　］。

❺ ［　　　　］丸いおせんべいを食べた。

❻ 身長 185cm の人は、日本人の中では［　　　　］。

3 くわしくする言葉

1 次の文の□にあてはまる言葉を、後ろの■から選んで書きましょう。

❶ 遅刻しそうなので、□駅に向かった。

❷ 炎が、□ゆれている。

❸ □自分の番が回ってこない。

❹ 疲れている人は、□ついて来てください。

ゆっくり	急いで	ようやく	たった
もうすぐ	ゆらゆら	もっと	なかなか

●上の問題で選んでいない言葉を使って、文章を作りましょう。

□

2 次の文の（　　　）にあてはまる言葉を、後ろの［　　　］から選んで書きましょう。

❶ 自転車が、（　　　）飛び出してきた。

❷ 亀が（　　　）歩いている。

❸ 合格したのは、（　　　）1名だった。

❹ バスは、予定時刻より（　　　）遅れて到着した。

❺（　　　）煮込んだカレーはとてもおいしい。

じっくり	いきなり	決して	のそのそ
わずか	かなり	いっそう	まるで

●上の問題で選んでいない言葉を使って、文章を作りましょう。

（　　　）

4 敬語

ていねい語

1 文の終わりを、「です」「ます」「でございます」などにすると、ていねいな言い方になります。次の文の下線部をていねい語に書きかえましょう。

❶ 明日、私は東京へ行く。
↓

❷ それは、あなたの時計だ。
↓

❸ 昨日、テストが終わった。
↓

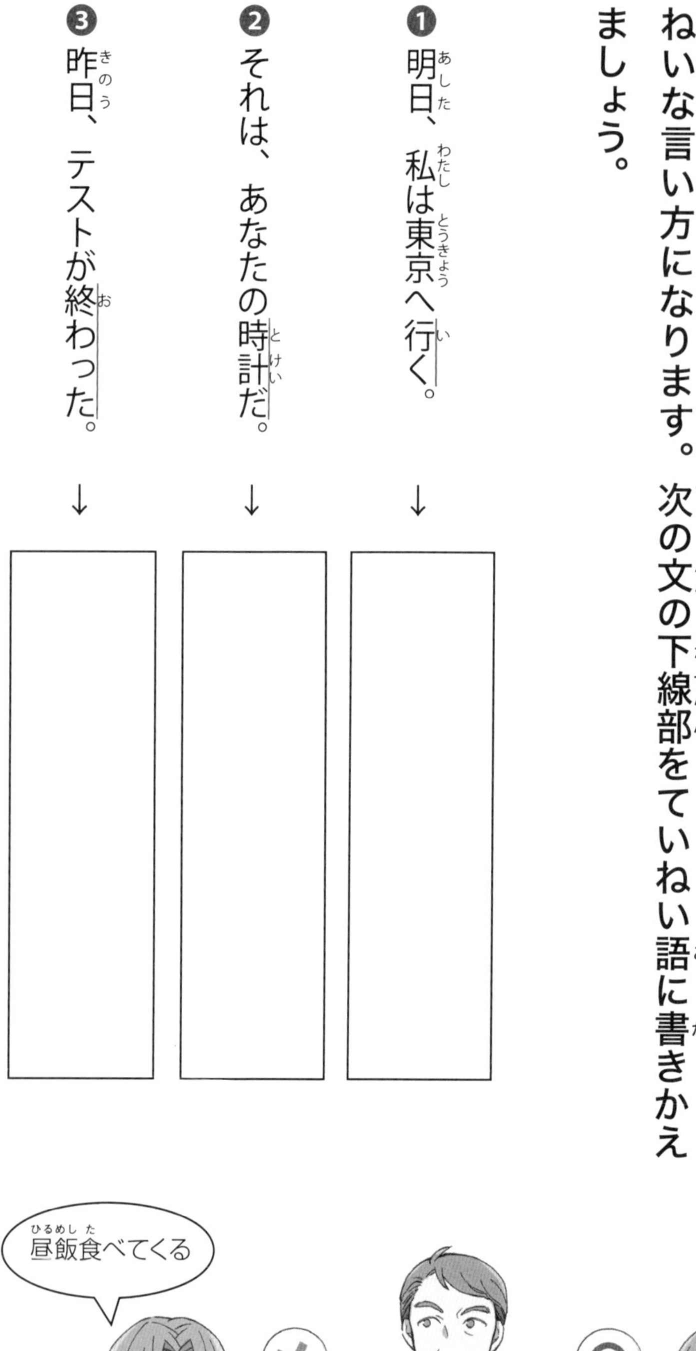

2 言葉の最初に「お」や「ご」をつけても、ていねいな言い方になります。次の言葉をていねい語に書きかえましょう。

❶ 手紙 →

❷ 茶 →

❸ 兄弟 →

3 次の文を、ていねいな言い方に書きかえましょう。

❶ 電話があったよ。 →

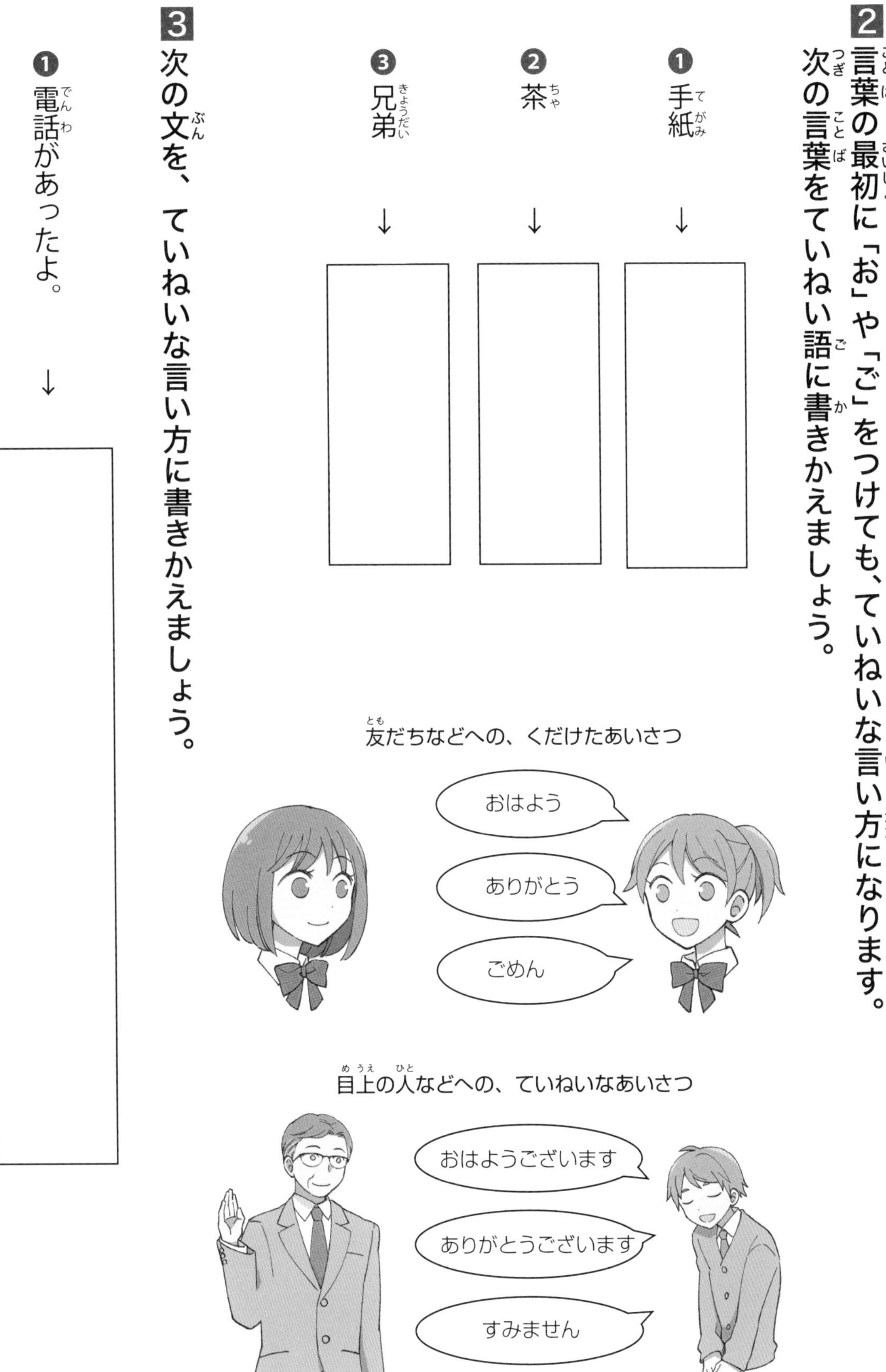

尊敬語

1 目上の人など、相手のことを敬う表現です。「言う→おっしゃる」のように、相手のすることに対し、特別な言い方をします。次の文の下線部を尊敬語に書きかえましょう。

❶ 校長先生が、こちらへ来る。　↓

❷ 校長先生が、賞状をくれる。　↓

❸ お客様が、写真を見る。　↓

❹ お客様が、昼食を食べる。　↓

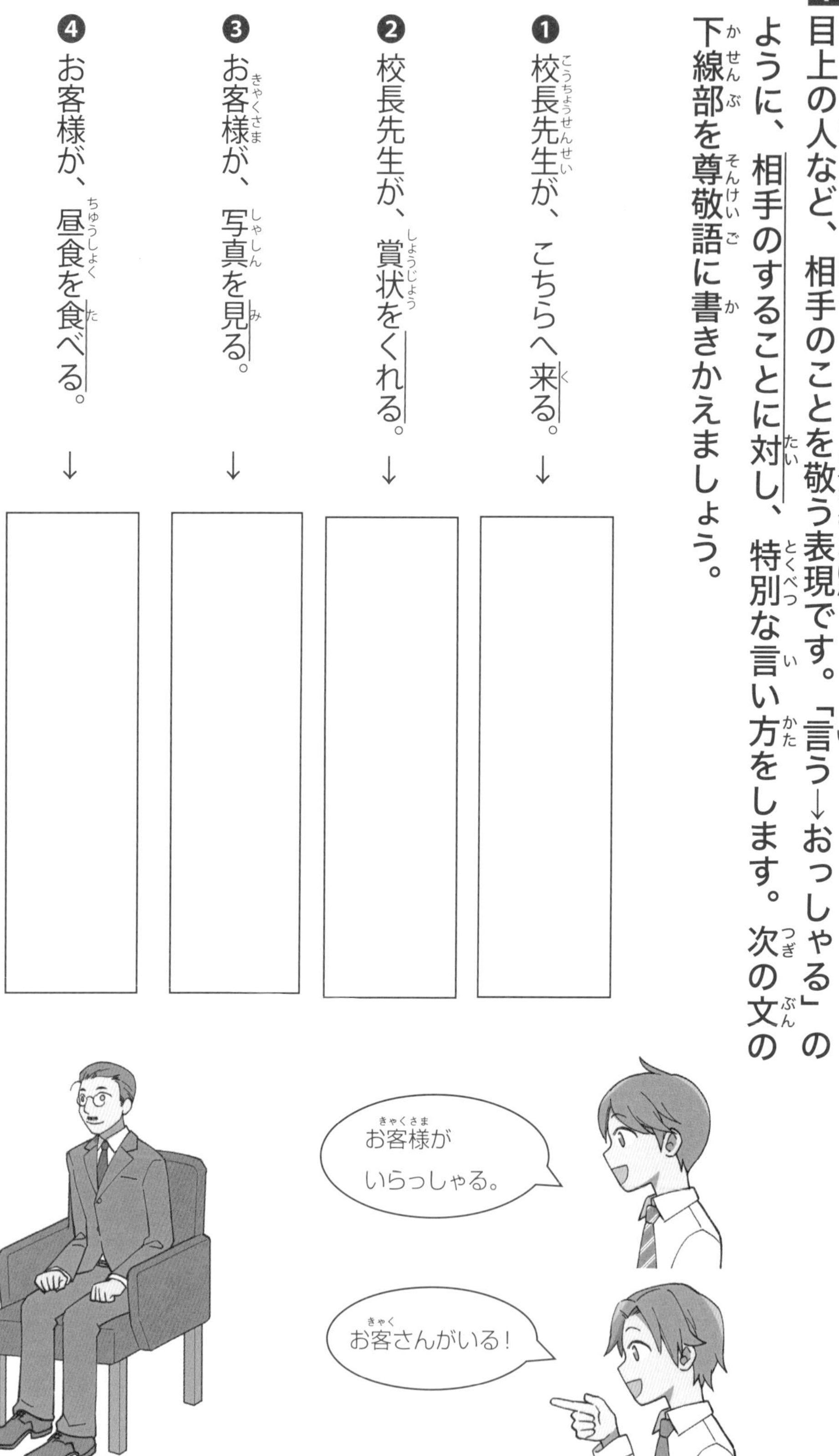

2 相手のすることに対し、「お～」や「ご～」という言い方にしても、尊敬語になります。次の文の下線部を尊敬語に書きかえましょう。

❶ 校長先生が、いすに座る。
↓
[ ]

❷ お客様が、話した。
↓
[ ]

❸ 大臣が質問に答える。
↓
[ ]

3 相手のすることに対し、「～れる」や「～られる」をつけても、尊敬語になります。次の文の下線部を尊敬語に書きかえましょう。

❶ お客様が、新聞を読む。
↓
[ ]

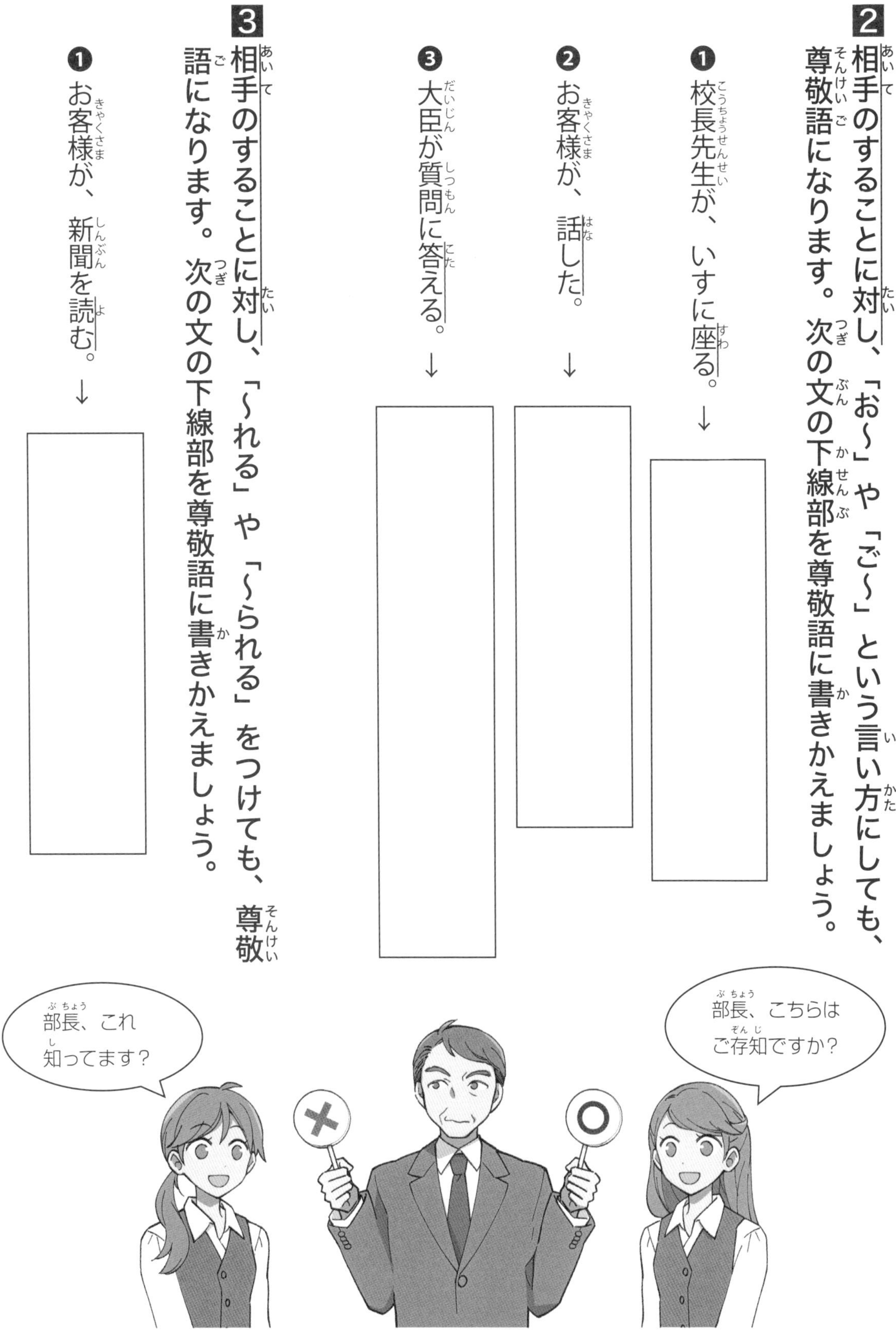

けんじょう語

1 自分や身内のすることを低めて、相手のことを敬う表現です。「もらう→いただく」のように、自分のすることに対し、特別な言い方をします。次の文の下線部をけんじょう語に書きかえましょう。

❶ 明日、市長のおたくに行く。→

❷ 私も資料を見ました。→

❸ 兄は、いま家にいます。→

❹ お客様に、記念品をあげる。→

低くして

敬う

2 自分のすることに対し、「お〜」「ご〜」という言い方にしても、けんじょう語になります。次の文の下線部をけんじょう語に書きかえましょう。

❶ 私が、お客様の荷物を持つ。
↓

❷ 私は、校長先生に予定を聞いた。
↓

❸ 先生に、本を返した。
↓

❹ 私は、お客様を案内した。
↓

❺ 私たちは、明日、市長に会う。
↓

5 四字熟語

1 次の四字熟語と一致する意味を、後ろの［　　］から選んで、（　）に記号を書きましょう。

❶（　　）十人十色
❷（　　）一心同体
❸（　　）自給自足
❹（　　）優柔不断

ア　自分に必要なものを、自分自身で作ってまかなうこと。
イ　好み・考え・性格などが、人によってそれぞれちがうこと。
エ　二人以上の人が、心も体も一つであるかのように強いきずなを持っていること。
ウ　なかなか決心がつかないこと。ぐずぐずしていて、決断できないこと。

2 次の意味と一致する四字熟語を、後ろの[ ]から選んで、（　）に記号を書きましょう。

❶（　　）自分が過去にした悪い行いがもたらした結果を、自分で受けること。

❷（　　）あきっぽくて、何をやっても長続きしない人。

❸（　　）状態などが良くなったり悪くなったり、また、進んだり後戻りしたりすること。

❹（　　）わずかに状況が変わるたび、喜んだり心配したりして、落ち着かない様子。

❺（　　）なんでも器用にこなせるので、あちこちに手を出し、どれも中途半端となって大成しないこと。

❻（　　）すぐれた才能と美しい容姿の両方をもっていること。

ア	才色兼備	イ	器用貧乏	ウ	心機一転	エ	一喜一憂
オ	自業自得	カ	三日坊主	キ	一進一退	ク	終始一貫

●上の問題で選んでいない四字熟語の意味を、辞書で調べましょう。

四字熟語
意味

6 ことわざ

1 ことわざの説明を読み、□にあてはまる言葉を、後ろの▭から選んで、記号を書きましょう。

❶ いくら注意されても、少しも聞き入れようとしない様子のたとえ。

馬の□に□。

❷ どんなにおだやかな人でも、何度も失礼なことをされると怒りだす。

仏の□も□度。

❸ 小さなことでも、たくさん積み重ねると大きなものになる。

□も積もれば□となる。

❹ 思いがけない幸運に出会うこと。

□から□。

ア	火事	イ	体	ウ	山	エ	念仏	オ	手
カ	備え	キ	ちり	ク	家事	ケ	耳		
コ	棚	サ	顔	シ	指	ス	ぼたもち		
セ	三	ソ	四	タ	五	チ	百	ツ	千

2 次のことわざにあてはまる説明を、後ろの ▭ から選んで、（　）に記号を書きましょう。

❶（　　）七転び八起き

❷（　　）かわいい子には旅をさせよ

❸（　　）鬼に金棒

❹（　　）灯台もと暗し

ア　もともと力のある者が、強い武器を持ってさらに強くなることのたとえ。

イ　探しているものや大事なことは、意外と自分の近くにあって気づきにくいことのたとえ。

ウ　何回失敗しても、負けずにまた頑張ろうとすることのたとえ。

エ　大事な子供には、甘やかさずに、旅をさせて苦労をさせる方が良いという教え。

3 次の話の内容にあてはまることわざを、後ろの　　　　から選んで、　　　　に記号を書きましょう。

❶ 高校生のとき、バスケットボール部でなかなかレギュラーが取れなかった。周りのみんなは自分より上手かった。器用な方ではないし、やめようかとも思った。でも、せっかく入った部活だし、バスケットボールが好きだったので、なんとか続けて頑張っていたら、最後の大会で試合に出ることができた。

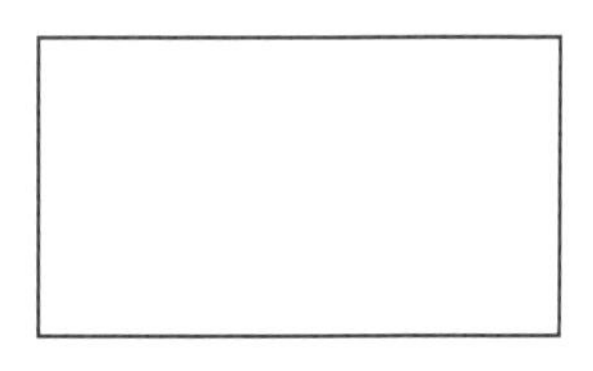

❷ パソコンが苦手で、分からないことはすぐ周りの人に聞いていた。でも、自分で調べてやるようにしたら、不思議と、前よりもできるようになっていた。最初はミスをすることもあるけど、自分で進んでやってみることが、近道なのかもしれない。

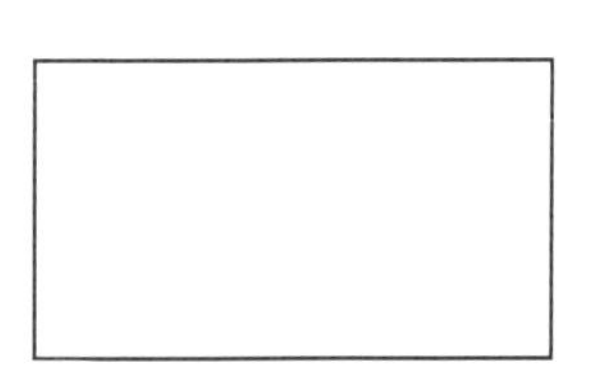

ア　親しき仲にも礼儀あり

イ　石の上にも３年

ウ　習うより慣れろ

エ　壁に耳あり、障子に目あり

4 次の話の内容にあてはまることわざを、後ろの ▢ から選んで、▢ に記号を書きましょう。

❶ 大きな仕事を任されたけど、ミスをして部長に呼び出されることに……。緊張もあり、ミスをした言い訳をしゃべり続けてしまい、最後に「もういい」と言われて退室させられてしまった。簡潔に謝罪と説明をして、それ以上はしゃべらなければよかったと後悔した。

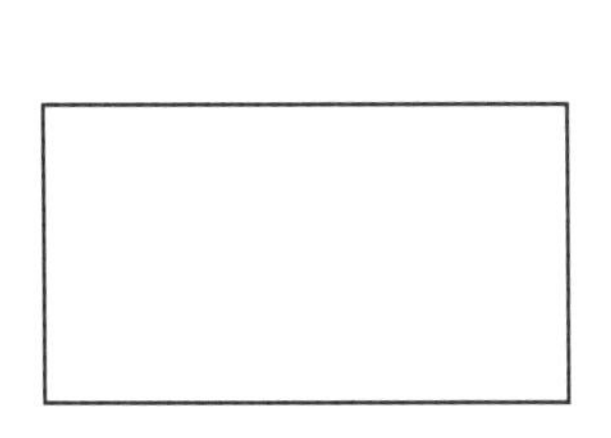

❷ 体重を減らしたくて、急激なダイエットをした。最初は調子よく体重が減っていたが、体調を崩してしまった。さらにリバウンドもして、結局元の体重より増えてしまった。地道に運動をしたり、毎日の食生活を見直したほうが、健康的に目的を達成できたと反省した。

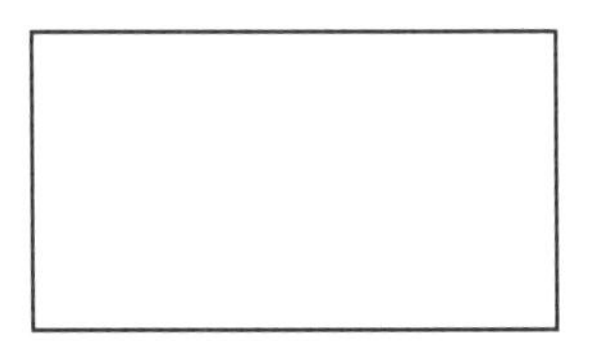

ア　芸は身を助ける
イ　沈黙は金、雄弁は銀
ウ　習うより慣れろ
エ　急がば回れ

7 慣用句

1 上の慣用句にあてはまる意味を、下から選んで線でつなぎましょう。

❶ 足を引っぱる ・　・ ア 他人の成功のじゃまをすること。
❷ 顔が広い ・　・ イ 人の意見や助言を聞かないこと。
❸ 足を洗う ・　・ ウ うちとけて、親しく話し合うこと。
❹ 聞く耳を持たない ・　・ エ 社交的で、知り合いが多いこと。
❺ ひざを交える ・　・ オ 悪い仕事や行動をやめること。
❻ 血がさわぐ ・　・ カ 興奮して、心がわくわくすること。

慣用句とは、長い間使われてきた、ひとまとまりの言い回しのことだよ。

8 似ている言葉・反対の言葉

似ている言葉

1 上の言葉と似ている意味の言葉を、下から選んで線でつなぎましょう。

❶ 安全 ・		・	ア	完了
❷ 天気 ・		・	イ	無事
❸ 終了 ・		・	ウ	天候
❹ 短所 ・		・	エ	向上
❺ 進歩 ・		・	オ	欠点

反対の言葉

2 上の言葉と反対の意味の言葉を、下から選んで線でつなぎましょう。

❶ 長所 ・		・	ア	失敗
❷ 勝利 ・		・	イ	短所
❸ 成功 ・		・	ウ	消費
❹ 生産 ・		・	エ	敗北
❺ 義務 ・		・	オ	権利

9 たとえを使った表現

1 次の文章はたとえを使っています。□にあてはまると思う言葉を書きましょう。

❶ まるで（　　　　）のように白いウサギだ。

❷ 急に、（　　　　）をひっくり返したような大雨が降った。

❸ 疲れていたので、（　　　　）のように眠った。

❹ この風景画はとても上手で、まるで（　　　　）みたいだ。

1 「まるで〜」「〜のような」「〜みたいな」などを使って、文章を作りましょう。

❶

❷

❸

❹

ヒント

・色や形などが、何かに似ているものを探してみましょう。例：丸い→おまんじゅうみたいな

・特ちょうをとらえると、たとえやすくなります。例：キラキラしている→宝石のような

・「〜ように」「〜みたいに」「〜ようだった」「〜みたいだった」など変化させてもいいですよ。

10 同じ読みでも意味が違う言葉

1 次の文の下線部にあてはまる漢字を、後ろの　　　　から選び、（　）に記号を書きましょう。

❶ もう彼とは連絡をたつことにした。（　　　）

❷ 彼女は弁がたつので政治家に向いている。（　　　）

❸ 空き地には、ビルがたつようだ。（　　　）

❹ 来週、東京をたつことになった。（　　　）

❺ あっという間に１時間がたっていた。（　　　）

ア	発	イ	経	ウ	建	エ	立	オ	断
カ	裁	キ	起	ク	活	ケ	辰	コ	達

2 次の文の下線部にあてはまる漢字を書きましょう。

❶ 重い荷物を持ちあげて下さい。

❷ 答えがわかる人は、手をたげて下さい。

❸ 関係者いがいは、立ち入り禁止です。

❹ そのアニメの結末は、いがいなものだった。

11 同じ形でも読みが違う言葉

1 次の文の下線部にあてはまる読みがなを、後ろの　　　から選び、(　) に記号を書きましょう。 同じ記号を何度使ってもいいよ！

❶ 友達がやっと心を開いてくれた。（　　）

❷ 右側のドアを開けて下さい。（　　）

❸ 銀行に新しく口座を開いた。（　　）

❹ その島には、たくさんの生物が存在する。（　　）

❺ お刺身は生物なので早目に食べて下さい。（　　）

ア　あ　　イ　ひら　　ウ　なまもの　　エ　せいぶつ

オ　しょうぶつ　　カ　とじ　　キ　あく　　ク　か

2 次の文の下線部の読みがなを書きましょう。

❶ 私は６年間、ピアノ教室に通った。

❷ 駅に行く時に、本屋の前を通った。

❸ チームを組むのに十分な人数が集まった。

❹ レポートの締切まで、あと十分しかない。

12 カタカナで表す言葉

1 次の絵と言葉を見て、同じ意味の言葉をカタカナ（外来語や英語）で書きましょう。

❶ おさじ
（　　　　　　　）

❷ 机
（　　　　　　　）

❸ えりまき
（　　　　　　　）

❹ 速さ
（　　　　　　　）

❺ 旅館
（　　　　　　　）

❻ かばん
（　　　　　　　）

❼ 牛乳
（　　　　　　　）

❽ 便所
（　　　　　　　）

❾ 銀行
（　　　　　　　）

2 次の言葉にあてはまる説明を、後ろの　　　から選んで、(　　)に記号を書きましょう。

❶（　　　）テイクアウト

❷（　　　）パワハラ

❸（　　　）インフラ

❹（　　　）アポ

❺（　　　）オーダー

ア　飲食店で料理を注文すること。また、会社が部品などを他社に発注することをいいます。

イ　職場内での立場や権力を利用して、度を超えてしかったり、嫌がらせをすること。

ウ　飲食物を店外に持ち出すこと。お持ち帰り。

エ　日常生活を支える基盤のこと。ガス・水道、道路・線路、電線など。

オ　面会や会合の約束や予約のこと。

●自分でもカタカナ語を探して書いてみましょう。

言葉
意味

漢字クイズ 1

4つの二字熟語が完成するように真ん中に漢字を入れましょう。

❶

	会	
結	□	成
	図	

❷

	紅	
緑	□	室
	色	

❸

	祝	
休	□	記
	光	

2

文章についての学習

1 文と文をつなぐ言葉

1 次の文の □ にあてはまる言葉を、後ろの ▭ から選んで記号を書きましょう。

❶ 今日はいつもよりクラブ活動が早く終わった。□ 家に着いたのは夜遅くだった。

❷ 彼は私の母親の妹です。□ 、私のおばさんです。

❸ 今日はとても寒い。□ 、私はマフラーをしていくことにした。

❹ 私はカラオケが好きだ。□ 、大声で歌うと気分がいいからだ。

ア	加えて	イ	しかし	ウ	つまり	エ	また
オ	むしろ	カ	それよりも	キ	なぜなら	ク	なお
ケ	だから	コ	さらに	サ	それどころか		

● 上の問題で選んでいない言葉を使って、文章を作りましょう。

2 次の文の ＿＿ にあてはまる言葉を、後ろの ＿＿ から選んで記号を書きましょう。

❶ 私のクラスでは、サッカーよりも、□野球の方が人気がある。

❷ この料理は、ごま油をかけると□おいしくなるよ。

❸ 明日から３連休。□、どこかへ遊びに行きたいな。

❹ ぼくたちのチームは一生懸命練習した。□決勝戦に残ることはできなかった。

❺ 今日は食欲がない。□風邪をひいているからだ。

ア	なお	イ	このため	ウ	だから	エ	さらに
オ	なぜなら	カ	それどころか	キ	むしろ		
ク	しかし	ケ	かつ	コ	そのうえ		

●上の問題で選んでいない言葉を使って、文章を作りましょう。

2 文章の並べかえ

1 次の文章を並べかえて正しい話を作り、□に記号を書きましょう。

❶

ア　母が持ってきてくれた体温計で測ったら、38度も熱がありました。

イ　学校は休んで、病院に行くことにしました。

ウ　朝起きたら、熱があるみたいでした。

□→□→□

❷

ア　「ごめん、今日は予定があるから無理なんだ。」

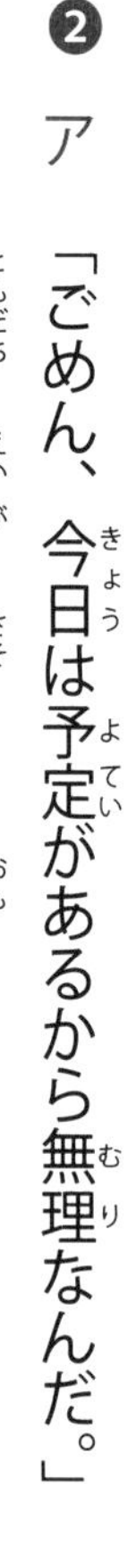

イ　友達を映画に誘おうと思いました。

ウ　予定を変えて、三日後の水曜日に二人で見に行きました。

エ　「日曜日だし、映画でも見に行かない？」

□→□→□→□

❸

ア　その日に限ってお店は閉まっていました。ちゃんと営業時間も調べれば良かったです。

イ　やむをえず、ネットで調べて、5駅先の家電屋さんに行くことにしました。

ウ　ところが、壊れていて印刷できませんでした！

エ　印刷をするので、久々にプリンターを出しました。

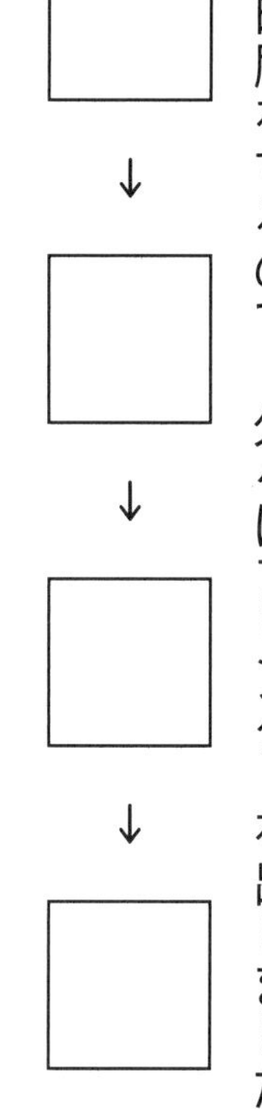

□ → □ → □ → □

❹

ア　電車は行ってしまったけど、感謝されたので良かったと思いました。

イ　電車が佐野駅についた時、座席に傘が1本残っていました。

ウ　私は傘を持って、その人を追いかけました。

エ　ちょうどいま電車を降りていった人の傘だと思いました。

□ → □ → □ → □

3 文章の間違いを直す

1 次の文の下線部が、正しければ（　）に○を、間違っていれば正しく書き直しましょう。

❶ 今年は、スピーチコンテストに向けてすごく練習をしてきた。だけど、優勝できてとてもうれしい。

（　　　　　　　　　　　　　　）

❷ 友達から送られてきたメールの返信がとても短かかった。

（　　　　　　　　　　　　　　）

❸ 明日は弟の誕生日だ。母と一緒にプレゼントを買ってきたけど、弟は喜んでくれるだろうか。

（　　　　　　　　　　　　　　）

❹ 雨が降ってきたので、予定を少し先に伸ばそう。

（　　　　　　　　　　　　　　）

❺ 久々に帰った街の様子の変わりようをおどろいた。

（　　　　　　　　　　　　　　）

2 次の文章の下線部が正しければ ＿＿＿ に◯を、間違っていれば正しく書き直しましょう。

高校２年生の時、親の都合で転校することになった。新らしく入った学校で、クラスメートたちとうまくやっていけるだろうか。みんなは前から友だち同士なのに、私だけがちがうのだ。不案をかかえながら、登校した。

「あれ、なっちゃんじゃない？」と私の名前を呼ぶ声が聞こえた。小学校の時にダンススクールで一緒だった千恵ちゃんがいた。私の知っている人がいた。だとしたら緊張がゆるみ、私はなさけない表情で笑った。

❶

❷

❸

4 絵を見て説明する

1 次の絵を見て、形、大きさ、特ちょうなどを説明しましょう。

❶

❷

❸

2 次の絵を見て、文章を作ってみましょう。

❶

5 メモを見て作文を書く

1 下は、学校の登山スケジュール表です。そこに感想を書き込んだものです。これをもとに、作文を作ってみましょう。

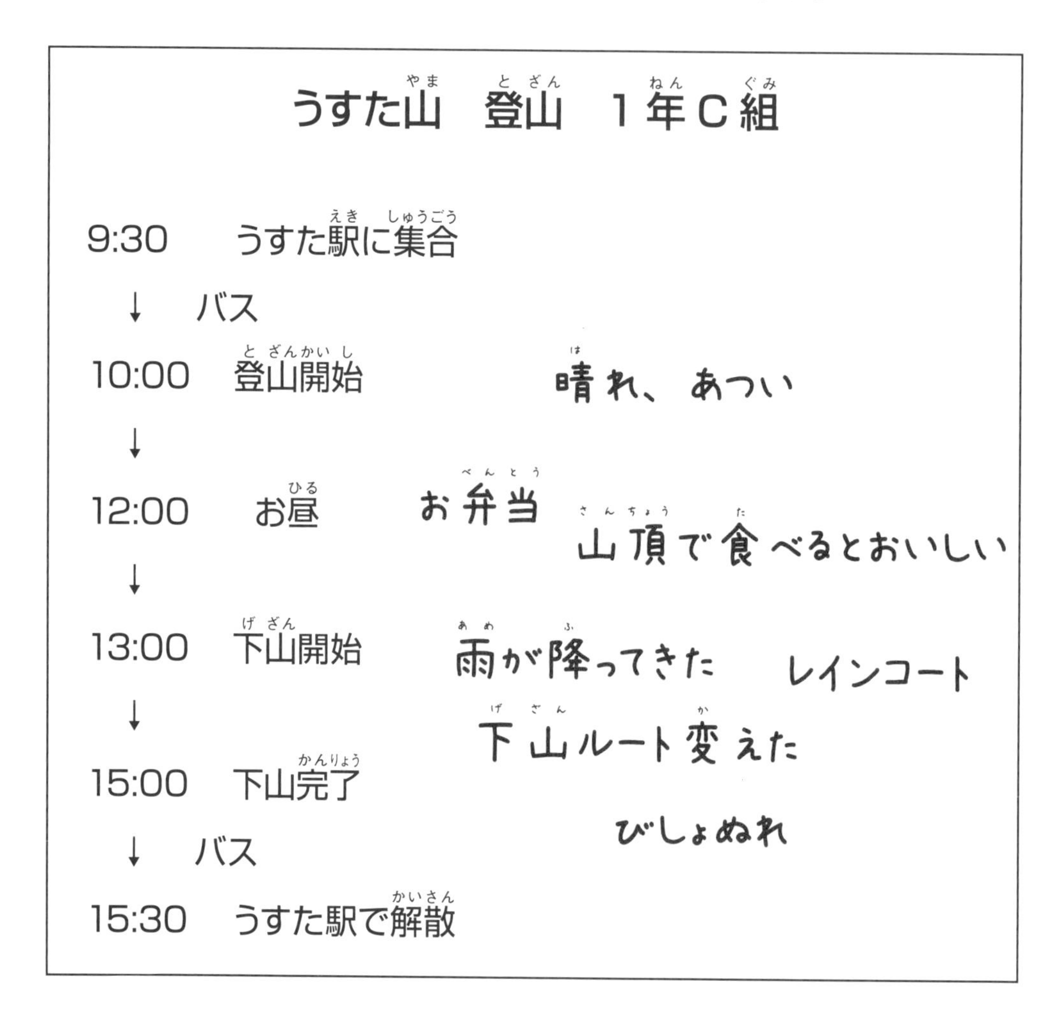

うすた山　登山　1年C組

9:30　うすた駅に集合

↓　バス

10:00　登山開始　晴れ、あつい

↓

12:00　お昼　お弁当　山頂で食べるとおいしい

↓

13:00　下山開始　雨が降ってきた　レインコート

↓　下山ルート変えた

15:00　下山完了　びしょぬれ

↓　バス

15:30　うすた駅で解散

6 理由や例をあげて伝える

1 自分の好きなものについて、好きな理由を書いてみましょう。

好きなもの

理由

「かわいいから」「おいしいから」など、なぜ好きなのかというポイントをあげながら人に説明してみよう。また、**「こんなことがあったから好きになった」**というきっかけも、人に説明する時に伝わりやすいですね。

2 次のアンケートを参考にして、問題に答えましょう。

夏休みに遊びに行くなら、、、

海に行きたい vs プールに行きたい

・海は砂浜で遊んだり、魚やカニなどの生物に触れることもできる。

・海はベタベタするので嫌だ、プールの方が清潔でいい。

・海はおぼれたりする事故も多いから怖い。

・サーフィンやシュノーケリングなどが楽しめるので海が好き。

・プールの方が近くにあって気軽に行ける。

・海辺でするバーベキューは最高に楽しい。

・ウォータースライダーや流れるプールがあるからプールに行きたい。

❶ 下の3つから意見を一つ選んで○で囲み、理由を書きましょう。

プールに行きたい　　海に行きたい　　どちらでもない

理由：

7 短い文章を読む

1 次の文章を読んで、問題に答えましょう。

　七年前の夏休み、小学二年生だった私は、アサガオを育てていました。花が咲いた時にとても嬉しかったことを覚えています。近所の友達がパンジーを育てていたので、遊びに行く前に一緒に水をやりました。
　去年、久しぶりにその友達と同窓会で会いました。夏休みに一緒に遊んだことを思い出し、今年の夏はまた❸種をまいて育ててみようと思いました。

❶ 小学二年生の頃に育てていた植物は何ですか。

❷ アサガオを育てていたのは何年前ですか。

❸ 「種をまいて」とありますが、何の種をまこうと思っているのでしょうか。

2 次の文章を読んで、問題に答えましょう。

太陽は東からのぼり、西に沈みます。私は空を見上げながら、「地球が止まっていて、空が動いているみたいだね」と父に言いました。

「それは、『天動説』っていうんだよ。」と父は教えてくれました。

古代の学者たちは、地球が宇宙の中心にあって、太陽や月や星は、地球の周りを回っていると信じていたそうです。逆に、地球が太陽の周りを回るのは『地動説』といいます。❸それを証明するのは、とても大変だったそうです。

❶ 『天動説』とはどんな説ですか。

❷ 古代の学者たちは、『天動説』と『地動説』のどちらを信じていましたか。

❸ 何を証明するのが大変だったのでしょうか。

8 長い文章を読む

1 次の文章を読んで、問題に答えましょう。

先月、修学旅行で奈良に行きました。そこで、世界で最も古い木造建築である、法隆寺を見学しました。

法隆寺の五重の塔は、地震の振動が伝わると、その波に乗るように建物がゆらゆらと動く仕組みになっています。振動に逆らわずに自ら揺れることで、倒れないようにしているのです。❶この技術は、東京スカイツリーにも応用されていると聞き、とても驚きました。なぜ1300年以上経っても建物が残っているのか。❷その秘密が分かった気がしました。

次に私たちは薬師寺に移動し、東塔を見ました。「この塔も歴史があって、世界で二番目に古い木造建築なんだよ。」と先生が教えてくれました。

「じゃあ、さっきのお寺の次に古いんだね。」と私が言うと、「違うよ、さっきのより新しいんだよ。」と美咲ちゃんが言いました。その会話を聞いていた❸先生は笑っていました。

❶「この技術（ぎじゅつ）」とはどんな技術でしょうか

❷「その秘密（ひみつ）」とはどんな秘密でしょうか。

❸秘密（ひみつ）が分（わ）かった気（き）がしたのはなぜですか。

❹先生（せんせい）はなぜ笑（わら）っていたのでしょうか。

1 次の文章を読んで、問題に答えましょう。

困った時はとりあえず天気の話でもすればいい。父からそう聞いたことがある。初対面の人と雑談をする時に、話題に困ったら、天気の話をするそうだ。スポーツや映画とちがい、❶それはみんなに共通しているし、気軽に話せる話題なのでちょうど良いらしい。しかし、天気の話は退屈だと私は思う。

「当日は雨が降らないといいけど。」「絶対に晴れてくれないと困るよね。」

6月が近づくと、学校では❷こんな会話をよく耳にする。だが、❸父の場合とはちがい、真剣に話しているのだ。なぜなら、私たちの学校では6月に体育祭が開かれるからだ。

ここのところ雨の日が続いているので❹心配になり、理科の先生に聞いてみた。

「天気予報では、当日は降水確率10%だから、大丈夫ですよね。降っても小雨ですよね。」

「10%でも、どしゃぶりになる事もあるんだよ。逆に、100%でも雨が降らなかったり、小雨のこともあるんだ。」

先生の説明を聞いて、私は❺きつねにつままれたような気分になった。でも、天気の話は少し面白いと思った。

❶「それ」とは何のことを指していますか。

❷「こんな会話をよく耳にする」のはなぜでしょうか。

❸「父の場合」とはどんな場合でしょうか。

❹何が起こることを心配しているのでしょうか。

❺きつねにつままれたような気分になったのは、なぜでしょうか。

9 ニュース記事を読む

地球温暖化対策の必要性を訴えている若者たちが、毎週金曜日に大学や高校を休み、街頭で温室効果ガスの排出削減を訴える活動を２日から始めました。

この活動は、２日から全国で一斉に行われ、東京霞が関の経済産業省の前には、２日の入学式を欠席して参加した大学１年生など、合わせて６人の高校生と大学生が集まりました。

そして、政府が見直しを進めている2030年度までの温室効果ガスの排出量の削減目標について「いまより大幅に引き上げるべきだ」などと訴えていました。

①こうした活動は、スウェーデンの環境活動家、グレタ・トゥーンベリさんが、毎週金曜日に学校を休んで議会の前などで温暖化対策を求めたことをきっかけに世界各地に広がり、若者たちは今後、毎週金曜日に大学や高校などを休み、温暖化対策の強化を求めていくということです。

活動に参加した大学２年生の横井美咲さんは「学生生活を楽しみたい思いを少し犠牲にしてでも参加したいと思いました。地球の未来のための政策を進めてほしい」と話していました。

「日本の若者も毎週金曜 温暖化対策の強化を訴える活動始める」NHK NewsWeb、2021年４月２日

1 右ページの記事を読んで、問題に答えましょう。

❶「こうした活動」とはどのような活動でしょうか。正しいもの全てに○をつけましょう。

ア　グレタ・トゥーンベリさんが議会を欠席したこと

イ　若者たちが、温室効果ガスの排出削減を訴えること

ウ　若者たちが、学生生活を楽しむこと

❷ この記事の内容と一致するもの全てに○をしましょう。

ア　日本で始まった活動が、スウェーデンにも広がっている。

イ　毎週金曜日は学校を休みするべきだと、若者たちは訴えている。

ウ　若者たちは、地球温暖化に対策をとるべきだと考えている。

❸ この記事を要約しましょう。

10 説明文を読み解く

1

サッカーには、ボランチというポジションがある。これは、ポルトガル語で「ハンドル」を意味する言葉である。チームが船だとしたら、そのかじを取るのがボランチであり、とても重要なポジションである。

❶ 上の文章と一致しない記号全てに◯をしましょう。

ア　ボランチは、サッカーのポジションである。

イ　チームが移動する時に運転するのがボランチである。

ウ　ボランチは、ポルトガル語である。

2

お寿司の種類で、きゅうりが巻いてあるものをかっぱ巻きといいます。かっぱ巻きという名前の由来には、2つの有名な説があります。1つは、かっぱの大好物がきゅうりだから。もう1つは、かっぱ巻きの断面が、かっぱを上から見たところと似ているからです。

❶ 上の文章と一致するように（　　）の中にあてはまる記号全てに◯をしましょう。

かっぱ巻きの名前の由来は、（　　　　）である。

ア　かっぱの大好物がきゅうりだから

イ　いくつかの説があるが、有名なものは2つ

ウ　かっぱ巻きの断面がかっぱを上から見たところに似ているから

3

恐竜は、今からおよそ2億5000万年前から6600万年前に地球上で繁栄していた生物です。恐竜は6600万年前に絶滅したといわれてきました。しかし、現在では「多くの種は滅んだが、一部は鳥に進化して生き残っている」と考えられています。私たちの身近にいるニワトリもそうだといわれています。

❶ 上の文章と一致しない記号全てに○をしましょう。

ア　ニワトリは2億5000年前から生きていたといわれている。

イ　恐竜は1億5000年前の地球上で繁栄していた。

ウ　恐竜の一部は、鳥に進化したと考えられている。

4

世界でもっとも面積の大きい国はロシアである。世界の陸地面積の11.5%を占めている。次に大きいのはカナダで6.7%を占めている。3番目はアメリカで6.5%だ。東アジア最大の島国である日本は、62番目で、0.25%を占めており、世界の島国の中では4番目に大きい。

❶ 上の文章と一致する記号全てに○をしましょう。

ア　日本は世界で4番目に面積が大きい国である。

イ　カナダとアメリカの大きさを足すと、ロシアよりも大きい。

ウ　日本は東アジアでは1番面積が大きい国である。

11 メッセージアプリや SNS

1 次のメッセージアプリのやり取りを見て、問題に答えましょう。

❶ 自撮り画像を友達に送ったAさん。Cさんのメッセージを見て怒ってしまいました。でもCさんは、「髪型が似合っている」と思い送ったつもりでした。Cさんはどんな風に伝えればよかったか、ア～ウの中から正しいと思う記号全てに○をしましょう。

ア　音のニュアンスが伝わらないので、他の言葉にすればよかった

イ　最後に↑や？をつければよかった

ウ　「いいね」などの肯定的なスタンプや絵文字を付ければよかった

2 次のメッセージアプリのやり取り（と）りを見（み）て、問題（もんだい）に答（こた）えましょう。

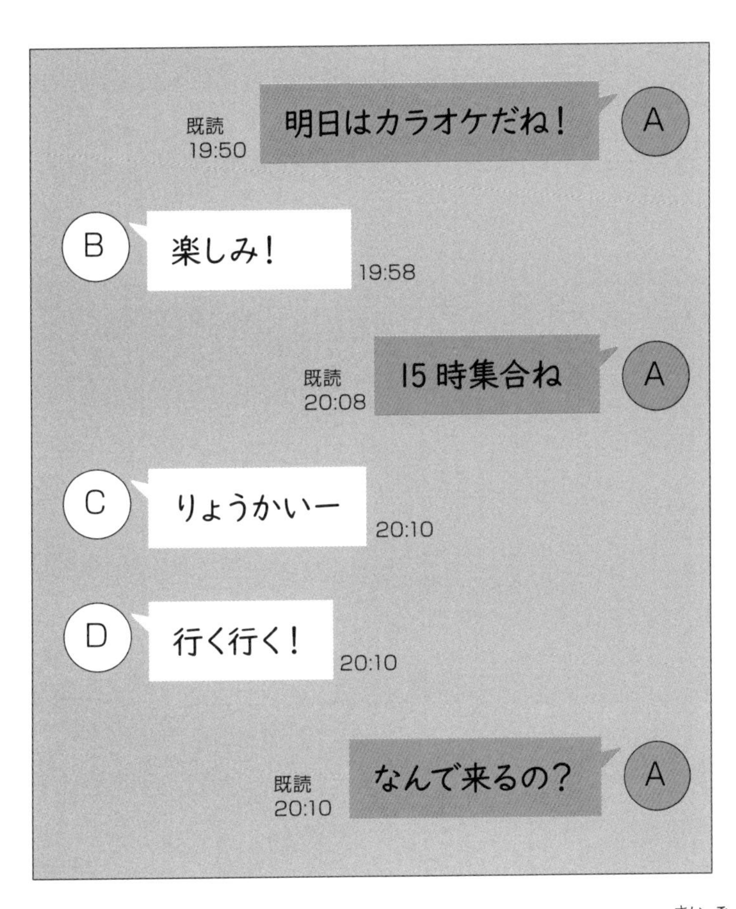

❷ グループでメッセージのやりとりをしています。Aさんの最後（さいご）のメッセージを見（み）て、Dさんは怒（おこ）ってしまいました。しかし、あとで誤解（ごかい）だと分（わ）かりました。Dさんはなぜ怒（おこ）ったのでしょうか。またAさんはどんなつもりで送っていたのでしょうか。

12 グラフや表を読む

1 次の文章を読んで、問題に答えましょう。

クラスの 30 人に、好きなスポーツについて聞きました。サッカーと答えた人が 10 人で一番多く、次に野球が 8 人でした。ダンスと答えた人は 5 人いました。なお、回答者が 1 人しかいなかったスポーツは、「その他」としてまとめました。

❶ 上の説明と一致するグラフを選び、記号を○で囲みましょう。

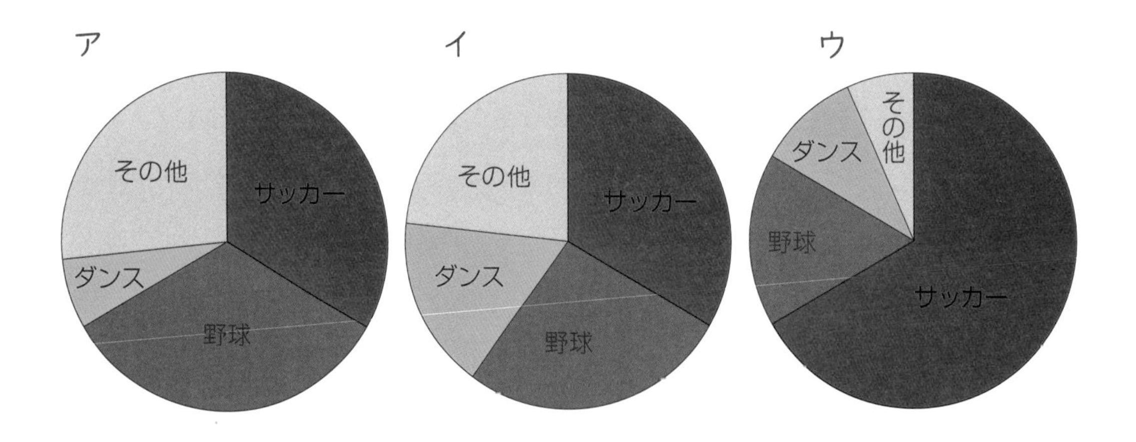

❷ 円グラフは、棒グラフや折れ線グラフに比べて、どんなところが良いでしょうか。

2 次のグラフは、ある年の日本人の睡眠時間に関する調査です。年代別に平均睡眠時間をグラフにしました。問題に答えましょう。

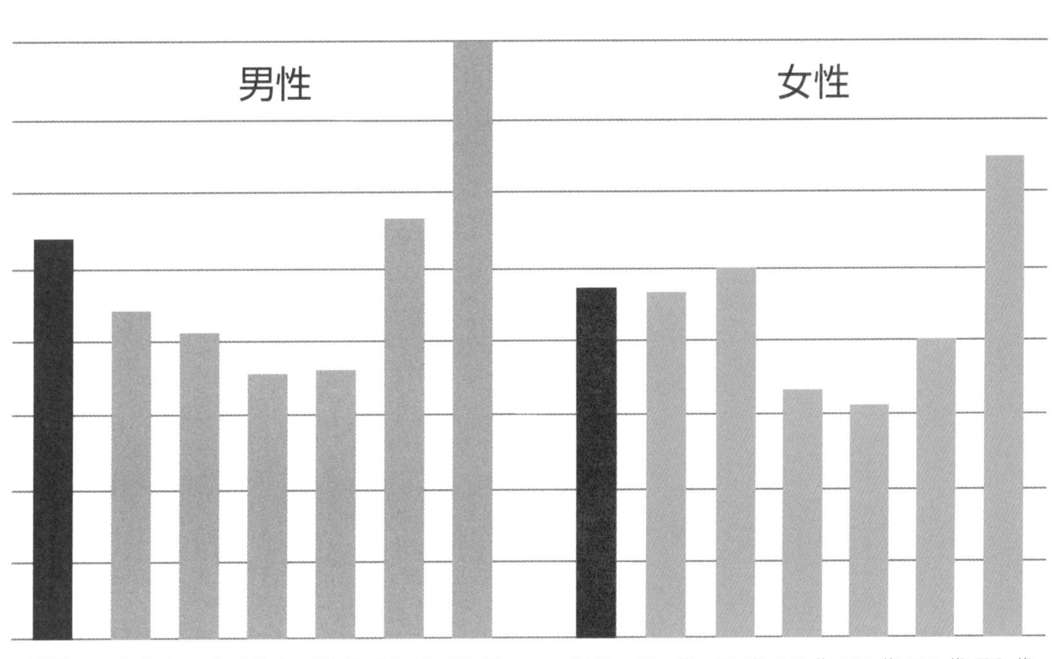

❶ 上のグラフから読み取れることとして、正しい記号全てに○をしましょう。

ア　男女共に40代の睡眠時間が最も短い。

イ　男性の方が平均睡眠時間が長い。

ウ　男女共に、70代の睡眠時間が一番長い。

エ　睡眠時間が長いほど、健康である。

オ　男性は、20代の方が40代よりも睡眠時間が長い。

カ　男女共に、5年前に比べて睡眠時間が短くなっている。

キ　50代では、男性よりも女性の方が睡眠時間が短い。

13 調べてまとめよう

七夕について調べてみましょう

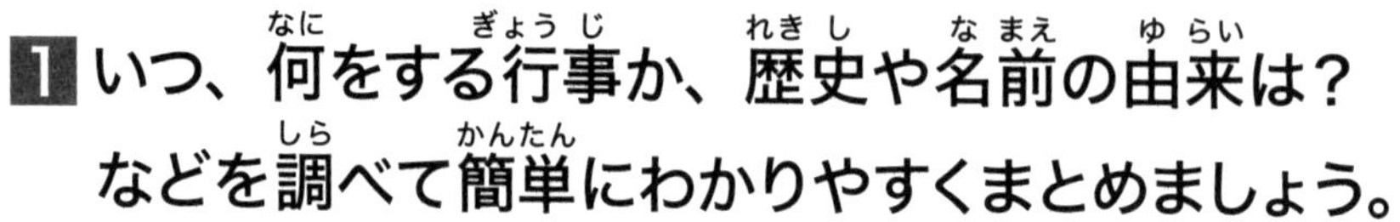

1 いつ、何をする行事か、歴史や名前の由来は？
などを調べて簡単にわかりやすくまとめましょう。

ブラジルについて調べてみましょう

1 首都や面積、人口、気候といったデータや、食べ物や文化の特ちょう、日本との関係などを調べて、簡単にわかりやすくまとめましょう。

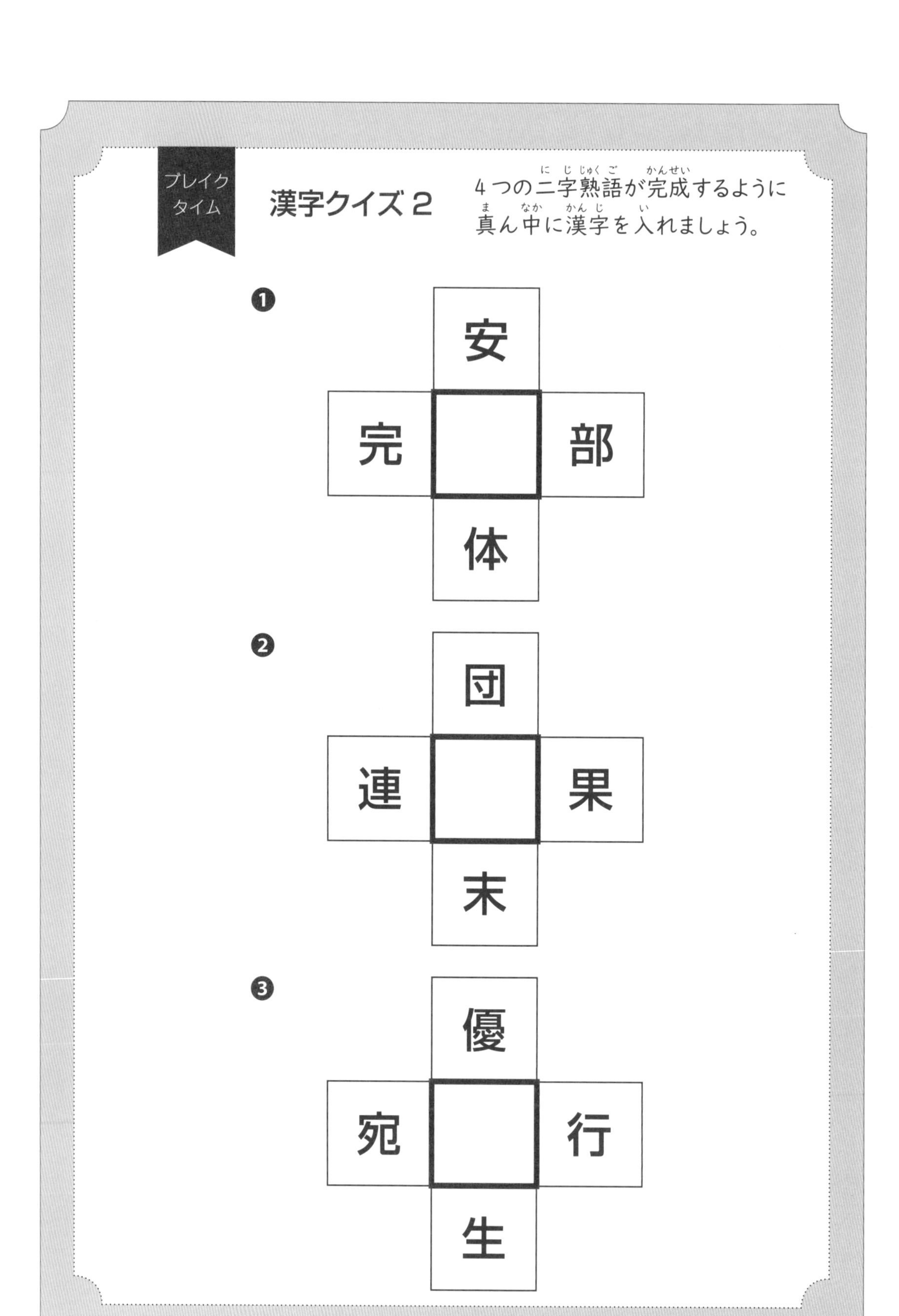
ブレイクタイム
漢字クイズ２
４つの二字熟語が完成するように真ん中に漢字を入れましょう。
❶
安
完
部
体
❷
団
連
果
末
❸
優
宛
行
生

3

日常場面の読む・書く

にちじょうばめん　よ　か

1 広告・チラシ

1 下の広告を見て、問題に答えましょう。

ダイエットサプリ　いま話題

通常 ~~4,380~~ 円のところ、

お試しコース 380 円（税込）！

※お試しコースにお申し込みいただくと、２回目以降は 4,380 円（税込）でお届けします。
定期購入となりますので、６回目までは返品・途中解約はできませんのでご注意ください。

❶ この広告の内容と一致する記号全てに○をしましょう。

ア　お試しコースは、２回分届く。

イ　お試しコースは、１回だけ試して購入するコースである。

ウ　１回購入しても、体に合わなければやめることができる。

エ　通常は 4380 円のものが、１回目は 380 円で購入できる。

オ　お試しコースに申し込むと、定期購入となり６回届く。

❷ このコースに申し込むと、合計でいくら払うことになるでしょうか。

2 の広告を見て、問題に答えましょう。

就活スーツ！

3月31日まで

4割引きセール!!※1

送料無料※2

ネクタイをプレゼント※3

※1 全商品4割引き。但し、20000円（税抜）以上のご購入に限ります。

※2 送料無料サービス提供エリアは東京都（離島をのぞく）限定です。

※3 プレゼントは10000円(税抜)以上ご購入のお客様先着50名様限定のサービスです。

❶ この広告の内容と一致する記号全てに○をしましょう。

ア　4割引になるのは、一部の商品である。

イ　20000円（税込）以上購入すると、全商品4割引になる。

ウ　兵庫県から10000円（税抜）以上購入すると、送料はかかるが、ネクタイは必ずプレゼントされる。

エ　4月1日にスーツを32,000円（税抜）購入した。4割引なので、支払いは19,200円（税抜）になった。

オ　10,000円（税抜）以上購入しても、ネクタイがプレゼントされるかどうかは分からない。

この本も参考に☞　ひとりだちするためのトラブル対策

2 家電の説明書

下は、ある電子レンジの説明書の、「お弁当ボタン」の使い方ページです。

自動メニューであたためる

お弁当ボタン

●お弁当1個（約400g）をあたためるときに使います。

●パッケージ「500W」の目安時間が2分以上の場合は、＜強め＞に合わせます。

あたためかたは

●包装しているふたやラップを外します。

外さないで加熱すると、仕上がりが悪くなり、ふたなどが変形するおそれがあります。

あたためることのできるお弁当

●コンビニエンスストアーで売っている幕の内弁当、丼もの、スパゲティーなど

（ただし、丸皿からはみ出さないサイズ）

●冷蔵庫に保存した場合は、レンジ700Wで様子を見ながら加熱します。

あたためることのできないお弁当

●コンビニエンスストアーで売っていても、1種類ずつ小分けしてあるおそうざい（から揚げ・しゅうまい）、おにぎりなどはお弁当ボタンではあたためられません。（レンジ700Wで様子を見ながら加熱してください。）

■加熱不足のときは追加加熱をする

レンジ700Wで様子を見ながら加熱します。

1 右ページの電子レンジの説明書を見て、問題に答えましょう。

❶ 冷蔵庫に保存していたお弁当は、どのようにあたためたら良いでしょうか。

❷ お弁当ボタンの使い方と一致する記号全てに○をしましょう。

ア　お弁当のパッケージに 500W の目安時間が 2 分 40 秒と書いてある場合は、＜強め＞に合わせる。

イ　包装しているラップは、外さないでそのままあたためる。

ウ　おにぎりも温められる。

エ　丸皿からはみ出さなければスパゲティーもあたためられる。

オ　コンビニで売っているお弁当はあたためられない。

カ　ふたを付けたまま加熱すると、ふたが変形することがある。

キ　加熱が足りない時は、もう一度お弁当ボタンを押す。

3 カップ麺の作り方

ビタミンB2、ビタミンB1、香料、酸味料、(一部こえび·小麦·卵·成分·ごま·大豆・鶏肉・豚肉を含む) ●内容量 77g (めん 65g) ●賞味期限 容器底面に表示 ●調理方法 必要なお湯の目安量:410ml ①フタを矢印まではがし、粉末スープ、液体スープ、かやくをとりだす。②かやくを麺の上にあけ、熱湯を内側の線まで注ぎフタをする。③液体スープをフタの上で温める。④5分後、粉末スープ、液体スープを加え、よくかきまぜてお召しあがりください。

1 上はカップ麺の表示の一部です。問題に答えましょう。

❶ お湯を注ぐ前に、麺の上に入れるのはどれですか?◯をつけましょう。

(　　) 粉末スープ　(　　) 液体スープ　(　　) かやく

❷ フタの上で温める必要があるのはどれですか?◯をつけましょう。

(　　) 粉末スープ　(　　) 液体スープ　(　　) かやく

4 料理のレシピ

豚キムチ炒め

1. ニラは 3cm 幅に切ります。
2. 豚バラ肉は３ｃｍ幅に切ります。
3. フライパンにごま油を熱し、
   2 を入れて中火で炒めます。
4. 豚バラ肉に火が通ったら、キムチを加えて中火で炒めます。
5. しょうゆと1を加えて中火で炒めます。

材料 （2 人前）

豚バラ肉　100g / ごま油　小さじ 1/
キムチ　100g/ ニラ　50g/
しょうゆ　大さじ 1

■1 上のレシピを読んで、問題に答えましょう。

❶「2 を入れて」とは何を入れればよいでしょうか。

❷ このレシピで４人分作ると、キムチとニラは合計で何ｇ必要でしょうか。

5 レストランのメニュー

ランチメニュー　（全て税込価格）

本日のランチセット	750 円
しょうが焼き定食	850 円
焼き魚定食	900 円
ナポリタン	750 円
サラダ	150 円
ドリンク	150 円

クーポン券のご提示で 10%OFF になります。

1 上のメニューを見て、問題に答えましょう。

❶ 次の組み合わせのうち、正しい記号全てに○をしましょう。

ア　ナポリタンにドリンクを付けると、焼き魚定食より安い。

イ　ナポリタンにドリンクを付けると、しょうが焼き定食より安い。

ウ　本日のランチセットにドリンクを付けると、焼き魚定食より安い。

❷ ナポリタンとサラダを注文して、クーポン券を提示するといくらになるでしょうか。

6 ホームの立ち位置

1 駅のホームの表示と列車の表示を見て、問題に答えましょう。

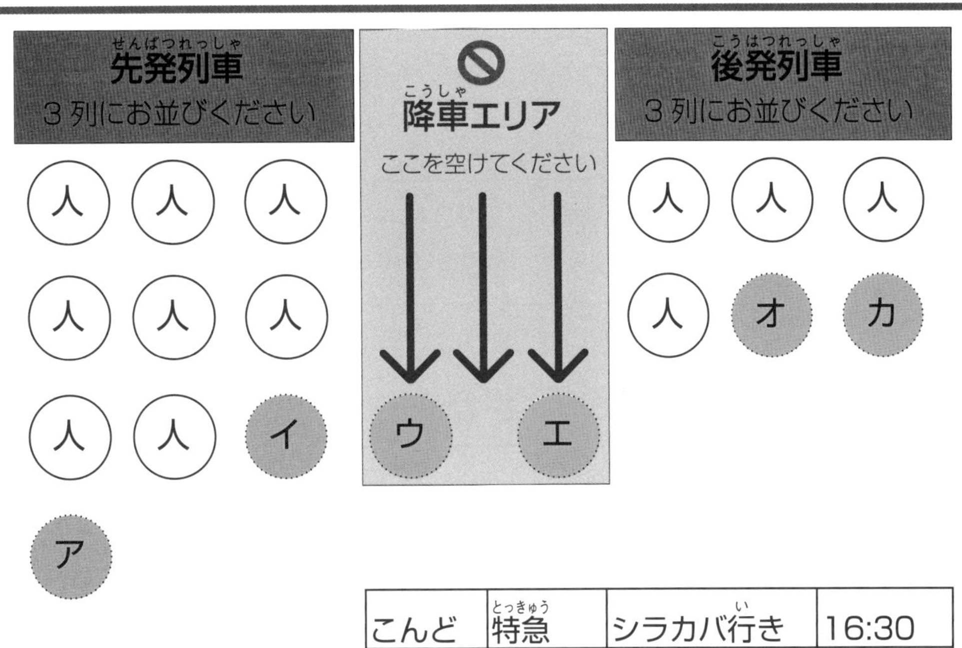

こんど	特急	シラカバ行き	16:30
つぎ	急行	アサオカ行き	16:42

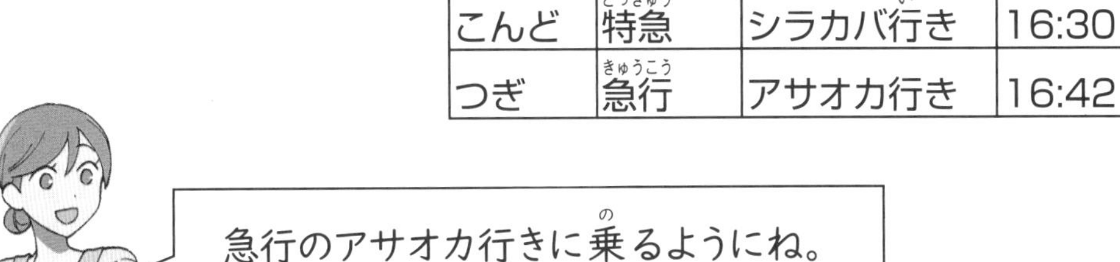

❶ ア～カの中で、どこに並ぶとよいでしょうか。あてはまる記号全てに◯をしましょう。

ア　イ　ウ　エ　オ　カ

❷ ア～カの中で、並ぶと迷惑になる場所はどこでしょうか。あてはまる記号全てに◯をしましょう。

ア　イ　ウ　エ　オ　カ

7 旅行の日程表を読む

日付	地名	予定
7/28	福岡発 東京着	14：30 福岡空港ー（飛行機）ー16:30 羽田空港
7/29		9:30 浅草ー 12:00 昼食ー（バス）ー 13：30 スカイツリーー（バス）ー 15:30 皇居ー自由時間
7/30		10：00 お台場ー（バス）ー 12:00 昼食ー（バス）ー 14:00 渋谷ー自由時間
8/1	東京発 福岡着	自由時間ー 14:00 ホテル集合ー（バス）ー 15:30 羽田空港ー（飛行機）ー 17:30 福岡空港

※出発時は、福岡空港の国内線ターミナルに 13:00 に集合してください。

※ 29 日、30 日は 9:00 に出発予定です。朝食を食べられる方はそれまでにホテルの朝食コーナーでお済ませください。

1 上の日程表を見て、問題に答えましょう。

❶ この日程から読み取れることで、正しい記号全てに○をしましょう。

ア　スカイツリーから皇居まではバスで移動する。

イ　渋谷に行くことができるのは 7 月 30 日だけである。

ウ　朝食は日程に入っていないので、自分たちで買って食べる。

エ　出発日はホテルに集合してから空港へ向かう。

オ　パスポートを忘れると飛行機に乗れないので注意する。

2 この日程と集合時間について、参加者に伝えたいと思います。

［　　　］を埋めましょう。

❶ 今回の旅行は［　　］泊［　　］日の日程です。福岡を［　　］月［　　］日に出発します。目的地は［　　　　］です。

遅れないように、［　　］時［　　］分に［　　　　］空港の［　　　　　　］に集合してください。

ブレイクタイム

漢字クイズ 3

4つの二字熟語が完成するように真ん中に漢字を入れましょう。

❶

	上	
物		物
	目	

❷

	計	
絵		面
	質	

❸

	算	
奇		量
	学	

4

仕事場面の読む・書く

1 メールを読む

ABC 社 長崎様

いつもお世話になっております。

アイウ産業の森田です。

今回の 4000 枚の DM 封入の件ですが、納品に約 12 日かかるとの回答を頂きました。弊社としては、発注から 1 週間後の納品が必要でしたので、今回はお断りした次第です。

なお、金額・品質等につきましては、他社様とも比較しましたが、問題はございませんでしたので、ご了承ください。

アイウ産業　森田

1 右ページのメール文を読んで、問題に答えましょう。

❶ 誰が、誰に、どんな内容のメールを送っていますか。後ろの ▒▒▒ から選んで、□ に記号を書きましょう。

□ が □ に □。

ア	ABC社の長崎さん	イ	アイウ産業の森田さん

ウ　DM封入を受注したいとお願いしている

エ　DM封入の納期が遅れるという報告をしている

オ　DM封入とは別の仕事を断っている

カ　DM封入の発注依頼を断っている

キ　DM封入の見積もりを送っている

❷ 今回、ABC社が受注できなかったのはなぜでしょうか。正しい記号に○をしましょう。

ア　金額が合わなかったから

イ　納期が合わなかったから

ウ　品質に問題があったから

エ　他社とのトラブルが発覚したから

❸ 今回、アイウ産業はどんな条件で仕事を依頼したかったのでしょうか。

2 仕事の文書を読む

シンミツ株式会社

営業部長　山下一郎様

株式会社ヤザキ

制作部　吉田正人

納入条件変更のお願い

拝啓　時下ますますご清祥のこととお慶び申し上げます。
平素は格別のお引き立てを賜り、厚く御礼申し上げます。

さて、これまで貴社より当工場にお納めいただいております商品の納入時期につきまして、下記の通りご変更くださいますようお願い申し上げます。

まことに [　　] 、ご承諾いただきますようお願い申し上げます。

敬具

記

納期　　現行　発注の翌週木曜日

　　　　変更　発注の翌週水曜日

実施日　8月24日より

以上

2 右ページは、ある会社から取引先に送られた文書です。文書を読んで、問題に答えましょう。

❶ この文書の内容と一致する記号に○をしましょう。

ア　シンミツ株式会社が、株式会社ヤザキに商品を納入している。

イ　株式会社ヤザキが、シンミツ株式会社に商品を納入している。

❷ この文書の目的はなんでしょうか。正しい記号に○をしましょう。

ア　納めている商品の納入時期を変更したというお知らせ

イ　今後は、商品の発注を水曜日に変更するというお知らせ

ウ　納めてもらっている商品の、納入時期を変更してほしいというお願い

❸ 文書の［　　　　］にあてはまる言葉を選んで、記号を書き込みましょう。

ア　勝手なお願いで恐縮ですが　　イ　ご足労をおかけしますが

ウ　あいにくですが　　エ　ご心配かもしれませんが

3 グラフや表を使う

ABC 社の DM 部門の封入実績

	日	月	火	水	木	金	土
午前	×	300	400	600	400	300	×
午後	×	300	600	400	600	300	×

1 上の表を見て、問題に答えましょう。

❶ この部門では、1 週間に合計何枚の DM を封入できますか。

❷ 土日をのぞいて、平均すると１日に何枚の DM を封入できますか。

❸ 表をもとにして棒グラフを作り、文章の □ を埋めましょう。

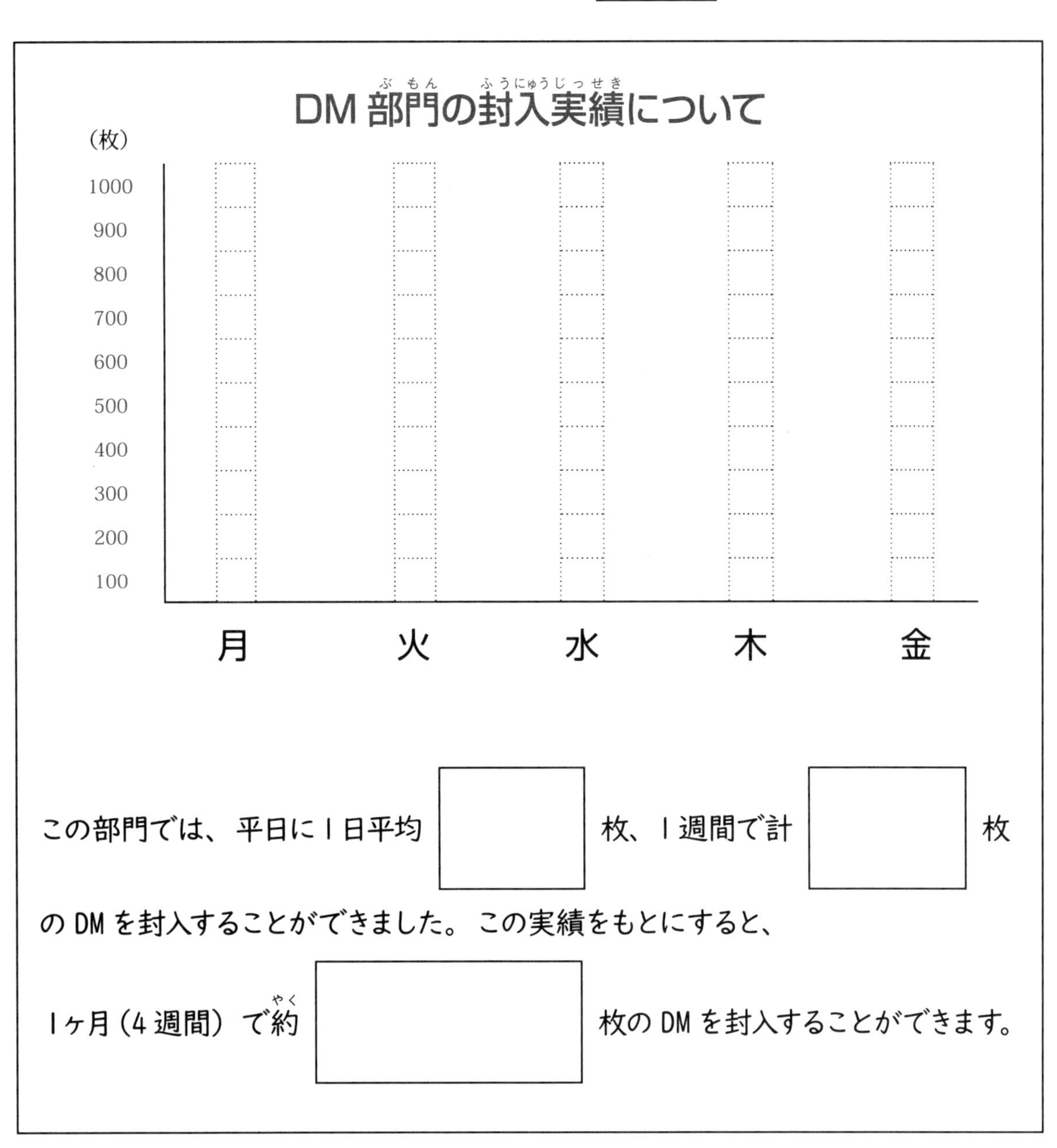

この部門では、平日に１日平均 □ 枚、１週間で計 □ 枚の DM を封入することができました。この実績をもとにすると、１ヶ月（４週間）で約 □ 枚の DM を封入することができます。

4 手紙を書く

現場実習や仕事でお世話になった方に、手紙を書きましょう。感謝の気持ちや季節のあいさつを伝えることができます。

1 左ページの文例を見ながら、問題に答えましょう。

❶ □にあてはまる言葉を、後ろの▒の中から選んで記号を書きましょう。

「新緑の候」の部分は□といい、季節を表す書き出しの言葉です。季節ごとに様々な言葉があり、

文例にある「新緑の候」は、1月～12月のうち、□に書く言葉です。

ア　四季の言葉　イ　時候の挨拶　ウ　はじめの言葉
エ　3月　オ　4月　カ　5月　キ　6月

文例のように、かしこまった手紙でなくてもよいので、お礼の気持ちを伝えましょう。

拝啓
新緑の候、〇〇先生におかれましては、益々ご健勝のことと
お慶び申し上げます。
〇〇先生には、就職活動におきまして大変お世話になり、心より
感謝しております。
おかげさまでこの春より社会人として働くことができました。
この場を借りまして改めてお礼申し上げます。本当にありがとう
ございました。
一日も早く仕事に慣れ、お客様に信頼されるよう精進してまいり
ますので、今後ともご指導、ご鞭撻のほどよろしくお願いいたし
ます。
略儀でありますが、書中をもちまして、お礼かたがたご報告まで
申し上げます。
敬具

調べてみよう

わからない言葉や、ことわざ、慣用句などを見かけたら、辞書をひきましょう。辞書が手元になければ、パソコンやスマホの検索でもかまいません。知らないけど気になること、調べたいこと、興味があることは、そのままにせずに、検索してみましょう。

たとえば、身近にあるものの呼び方にも、調べてみるとこんな違いがあります。

卵と玉子

卵：スーパー等で売っている生の状態。
玉子：調理されたもの。玉子焼きなど。

あられとひょう

あられ：直径 5mm 未満の氷の粒
ひょう：直径 5mm 以上の氷の粒

素足と裸足

素足：くつ下などを履かずに、くつをはいている状態
裸足：くつ下もくつも履いていない状態

ささいなことでも、興味のあることは調べてみましょう。

対義語・類義語クイズ

対義語　反対の意味になるように[　　]をうめましょう。

❶ 上手 ↔ [　]手

❷ 拡大 ↔ 縮[　]

❸ 便利 ↔ [　]便

❹ 洋風 ↔ [　]風

❺ 増加 ↔ 減[　]

❻ 入口 ↔ [　]口

類義語　似た意味になるように[　　]をうめましょう。

❶ 勉強 ↔ [　]習

❷ 賛成 ↔ [　]意

❸ 原因 ↔ [　]因

❹ 用意 ↔ [　]備

❺ 手軽 ↔ [　]単

❻ 理想 ↔ 希[　]

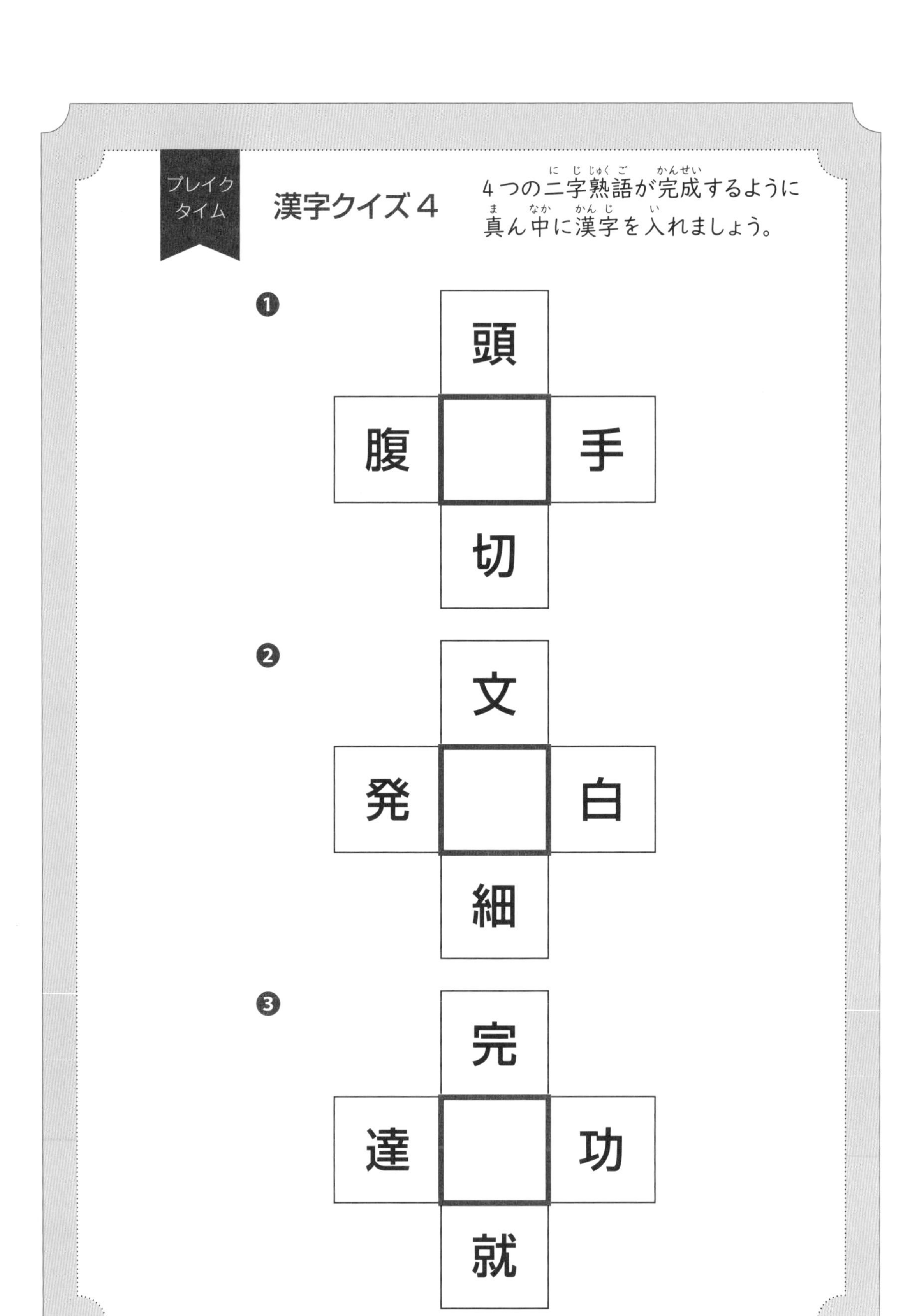

ブレイクタイム
漢字クイズ４
４つの二字熟語が完成するように真ん中に漢字を入れましょう。
❶
頭
腹
手
切
❷
文
発
白
細
❸
完
達
功
就

解答例

解答例は、ひとりで学習する時の参考にしてください。問題によっては、ここに書いている例の他にも答えがあります。また、はっきりと正解・不正解が決まっていない問題もあります。自分の頭で、一度考えてみてから、読むようにしましょう。

p.4	1	❶テーブル、机、たな、いす
		❷りんご、グレープフルーツ、キウイ、桃
		❸ねこ、ライオン、キリン、くじら、さる
		「家具、果物、動物」の３グループに分ける。他にも、「漢字、ひらがな、カタカナ」という分け方もできる。
p.5	2	❶色が赤い
		❷飲み物
		❸球体（丸い）
		❸身だしなみ
p.6	1	❶スラスラ　❷ビュービュー　❸ドキドキ　❹モリモリ
p.7	2	❶あたたかい　❷冷たい　❸甘い　❹からい　❺暗い
p.8	3	❶つらい　❷すっきりする　❸ワクワクする　❹ほっとする
p.9	1	❶うれしかった　❷うれしくない　❸うれしいだろう
		❹小さかった　❺小さくて　❻小さくない
p.10	1	❶急いで　❷ゆらゆら　❸なかなか　❹ゆっくり
p.11	1	❶いきなり　❷のそのそ　❸わずか　❹かなり　❺じっくり
p.12	1	❶行きます　❷時計です　❸終わりました
p.13	2	❶お手紙　❷お茶　❸ご兄弟
	3	❶お電話がありましたよ。
p.14	1	❶いらっしゃる　❷くださる　❸ご覧になる　❹召し上がる
p.15	2	❶お座りになる　❷お話された　❸お答えになる
	3	❶読まれる
p.16	1	❶うかがう　❷拝見しました　❸おります　❹さしあげる
p.17	2	❶お持ちします　❷お聞きした　❸お返しした　❹ご案内した
		❺お会いする
p.18	1	❶イ　❷エ　❸ア　❹ウ
p.19	2	❶オ　❷カ　❸キ　❹エ　❺イ　❻ア
p.20	1	❶ケ、エ　❷サ、セ　❸キ、ウ　❹コ、ス
p.21	2	❶ウ　❷エ　❸ア　❹イ

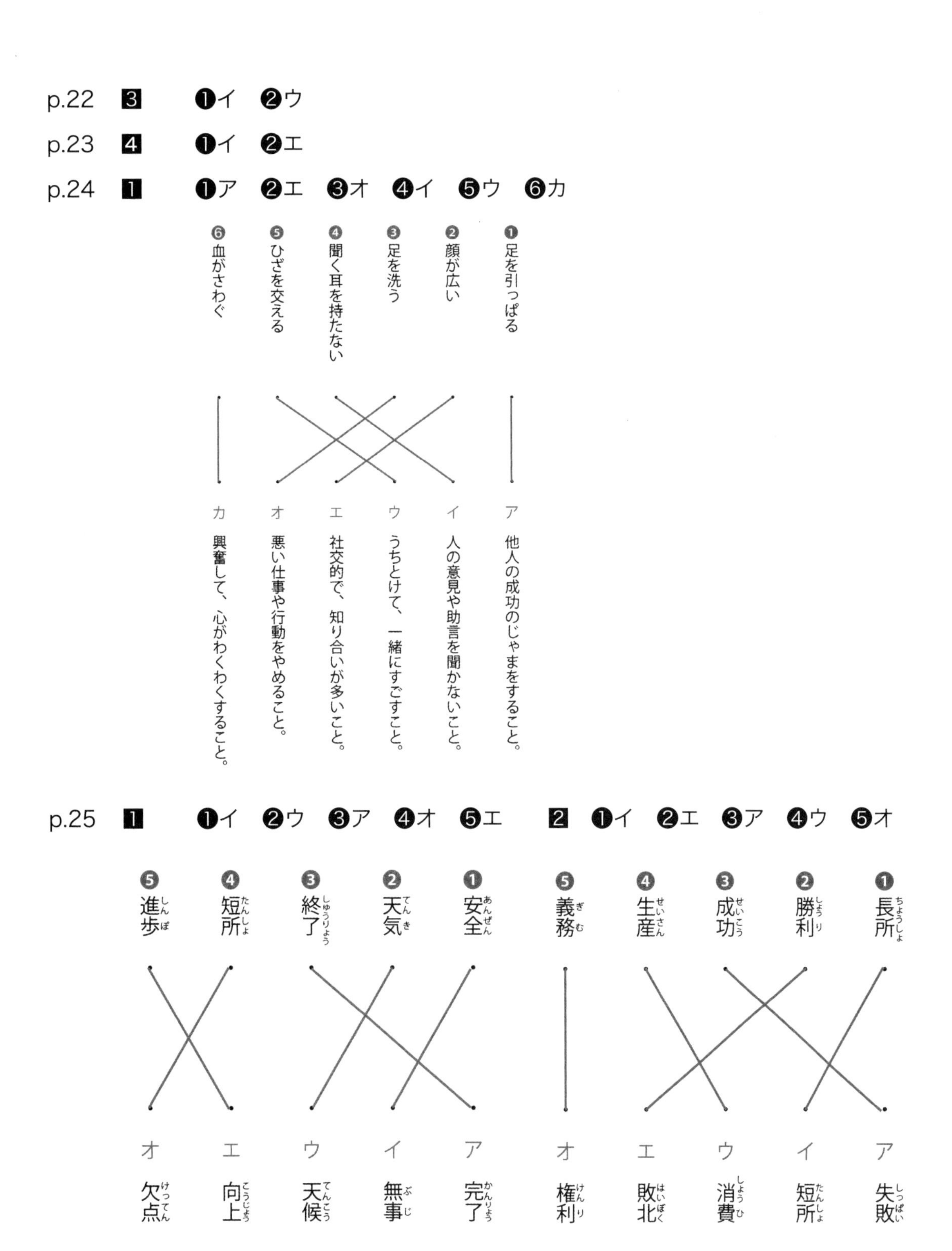

p.22 3 ❶イ ❷ウ
p.23 4 ❶イ ❷エ
p.24 1 ❶ア ❷エ ❸オ ❹イ ❺ウ ❻カ
❶足を引っぱる
❷顔が広い
❸足を洗う
❹聞く耳を持たない
❺ひざを交える
❻血がさわぐ
ア 他人の成功のじゃまをすること。
イ 人の意見や助言を聞かないこと。
ウ うちとけて、一緒にすごすこと。
エ 社交的で、知り合いが多いこと。
オ 悪い仕事や行動をやめること。
カ 興奮して、心がわくわくすること。
p.25 1 ❶イ ❷ウ ❸ア ❹オ ❺エ 2 ❶イ ❷エ ❸ア ❹ウ ❺オ
❶安全
❷天気
❸終了
❹短所
❺進歩
ア 完了
イ 無事
ウ 天候
エ 向上
オ 欠点
❶長所
❷勝利
❸成功
❹生産
❺義務
ア 失敗
イ 短所
ウ 消費
エ 敗北
オ 権利

p.26 ❶ ❶雪 ❷バケツ ❸泥 ❹写真

p.27 ❶ ❶まるで雲のようにフワフワの綿菓子だ。

❷たかし君はチーターのように足が速い。

❸夜景が宝石のようにきれいだった。

❹一日中ゲームができるなんて、夢のようだ。

p.28 ❶ ❶オ ❷エ ❸ウ ❹ア ❺イ

❷ ❶上 ❷挙 ❸以外 ❹意外

p.29 ❶ ❶イ ❷ア ❸イ ❹エ ❺ウ

❷ ❶かよ ❷とお ❸じゅうぶん ❹じゅっぷん

p.30 ❶ ❶スプーン ❷デスク（テーブル） ❸マフラー ❹スピード ❺ホテル

❻バッグ ❼ミルク ❽トイレ ❾バンク

p.31 ❷ ❶ウ ❷イ ❸エ ❹オ ❺ア

パワハラ→パワーハラスメントの略。

インフラ→インフラストラクチャーの略。

アポ→アポイントメントの略。

p.34 ❶ ❶イ ❷ウ ❸ケ ❹キ

p.35 ❷ ❶キ ❷エ ❸ウ ❹ク ❺オ

p.36 ❶ ❶ウ→ア→イ ❷イ→エ→ア→ウ

p.37 ❸エ→ウ→イ→ア ❹イ→エ→ウ→ア

p.38 ❶ ❶だから ❷短かった ❸○ ❹延ばそう ❺におどろいた

p.39 ❷ ❶新しく ❷不安 ❸おかげで（そのことで、など）

p.40 ❶ ❶長い鼻と大きな耳がある動物。キバがる。人間よりもだいぶ大きい。

❷三角柱で、上にイチゴとクリームがのっている食べ物。中にもいちご
やクリームが入っている

❸星のマークがついた帽子をかぶり、ちょうネクタイをしている人。
顔に派手なペイントをしている。風船を持っている。

p.41 ❷ ❶今日は 12 月 30 日です。
明日は大みそかなので、今日はみんなで年末の大そうじをしています。
お母さんはそうじ機をかけて、お父さんは窓をふいています。そろそ

ろ私も何か手伝わないといけません。

p.43 **1** 昨日は学校でハイキングでうすた山という山に行きました。駅で集合して、バスで移動しました。

午前中は晴れていて暑かったです。午後は雨が降ってきたため、ルートを変えて下山してきました。ぬれて大変でしたが、お昼に山頂で食べたお弁当がとてもおいしかったので、また行きたいです。

p.44 **1** ❶好きなもの：母のカレーライス　理由：子供の頃から大好きです。辛いものが苦手なのですが、母のカレーライスは食べられます。外で食べるよりもおいしくて最高なので、一番好きな食べものです。

p.45 **2** ❶海に行きたい

理由：毎年、夏休みに海のそばに住んでいる親戚の所へ行くので、海がいいです。スイカ割りをしたり、花火を見たりできるので楽しいです。

p.46 **1** ❶アサガオ　❷７年前　❸アサガオ

p.47 **2** ❶地球の周りを太陽や星が回っているという説

❷天動説　❸地動説

p.49 **1** ❶地震の時に、自ら揺れることで倒れないようになっている技術。

❷法隆寺が長い間倒れずに残っているはなぜかという秘密。

❸最新のスカイツリーにも応用されるようなすごい技術が使われているから。

❹古い、新しいという違う言葉を使っているが、二人は同じことを言おうとしていたから。

p.51 **1** ❶天気の話

❷体育祭があるから。

❸気軽に話せる雑談の話題として、天気の話をすることこと。

❹体育祭の日に雨が降ること。（体育祭が雨で中止になること。）

❺ 10% なのにどしゃぶりになったり、100% なのに雨が降らないことがあるという説明をされたから。

p.53 **1** ❶イ　❷ウ

❸若者たちが毎週金曜日に学校を休んで、地球温暖化対策の必要をうったえる活動が、世界中に広がっている。

p.54　1　❶イ

　　　2　❶ア、イ、ウ

p.55　3　❶ア

　　　4　❷イ

p.56　1　❶ア、イ、ウ　どれもよいでしょう（「かわいくない？」という肯定の意味で使う若者の言葉の音の抑揚が、文字では伝わりにくかったようです。相手に真意が伝わりやすいメッセージ、誤解をうまないコミュニケーションになるように気をつけましょう。）

p.57　2　❶ D さんが来るのが嫌だという風に伝わった。A さんは、自転車や電車など、何で来るのか交通手段を聞こうとした。

p.58　1　❶イ（アはダンスが少なすぎる、ウはサッカーが多すぎる。）

❷割合がわかりやすい

p.59　2　❶イ、ウ、オ、キ

p.60　1　七夕の日は、毎年 7 月 7 日です。短冊に願い事を書いて、笹の葉に結びつけます。奈良時代に中国から伝わったといわれています。

p.61　1　ブラジルはサッカーで有名な国で、日本に比べて気温が暑いです。日本の約 22.5 倍の面積を持つ大きな国です。人口も 2 億人以上おり、日本より多いです。リオデジャネイロで行われるカーニバルが有名です。

p.64　1　❶エ、オ　❷ 22280 円（380+4380×5）

p.65　1　❶イ、オ

p.67　1　❶ 700W で様子を見ながら加熱する。　❷ア、エ、カ

p.68　1　❶かやく　❷液体スープ

p.69　1　❶ 3cm 幅に切った豚バラ肉

❷ 300g（200+50 または、100+50×2）

p.70　1　❶イ

❷ 810 円（計算は 900×0.9、900-900×0.1 など）

p.71　1　❶オ、カ（「こんど」の列車が先発、「つぎ」の列車が後発）

❷ウ、エ

p.72　1　❶ア（イ：自由時間に渋谷に行けるので ×。ウ：ホテルの朝食コーナーにあるので ×。エ：直接空港に集合するので ×。）

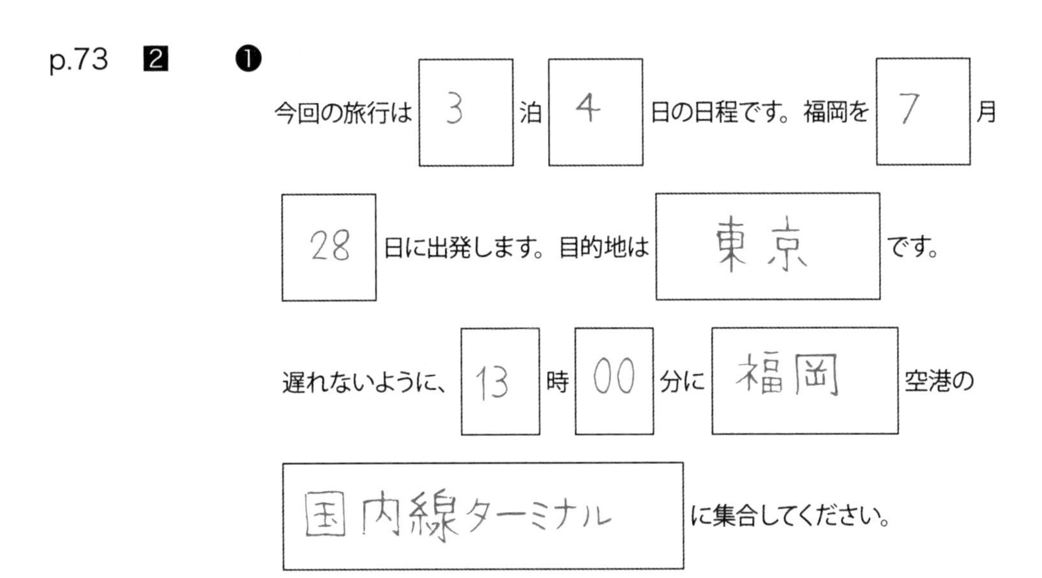

p.73 ❷ ❶

今回の旧行は 3 泊 4 日の日程です。福岡を 7 月 28 日に出発します。目的地は 東京 です。

遅れないように、13 時 00 分に 福岡 空港の 国内線ターミナル に集合してください。

p.77 ❶ ❶イがアにカ ❷イ ❸発注から 1 週間後に納品して欲しかった

p.79 ❶ ❶ア ❷ウ ❸ア

p.80 ❶ ❶ 4200 枚

p.81 ❷ 840 枚（4200÷5）

❸

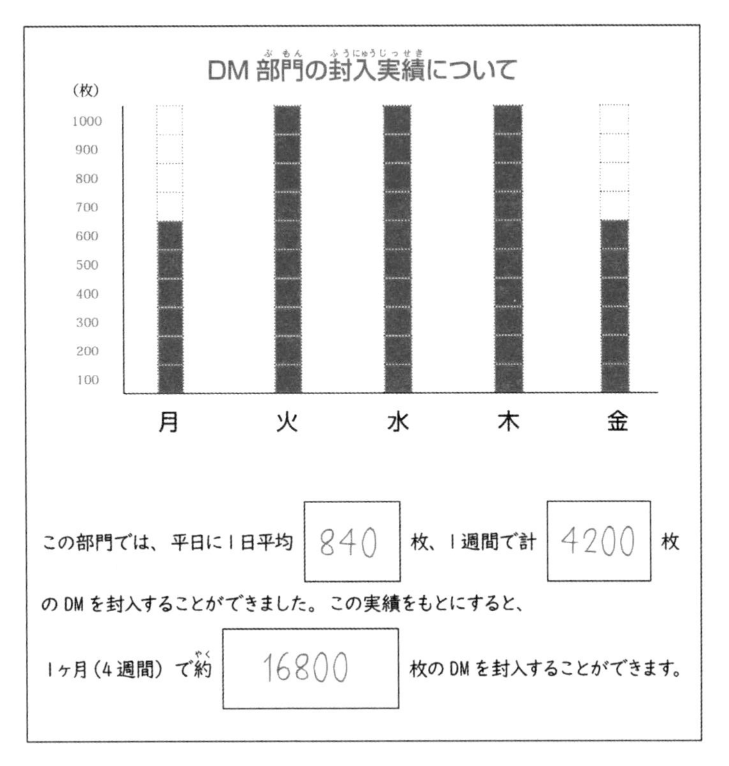

p.82 ❶ ❶イ、カ

類義語・対義語クイズ

p.85

対義語 反対(はんたい)の意味(いみ)になるように[　　]をうめましょう。

❸ 便利 ↔ 不 便　　❹ 洋風 ↔ 和 風

❺ 増加 ↔ 減 少　　❻ 入口 ↔ 出 口

類義語 似(に)た意味になるように[　　]をうめましょう。

❶ 勉強 ↔ 学 習　　❷ 賛成 ↔ 同 意

❸ 原因 ↔ 要 因　　❹ 用意 ↔ 準 備

❺ 手軽 ↔ 簡 単　　❻ 理想 ↔ 希 望

漢字クイズ

p.32

❶

	会	
結	合	成
	図	

❷

	紅	
緑	茶	室
	色	

❸

	祝	
休	日	記
	光	

p.62

❶

	安	
完	全	部
	体	

❷

	団	
連	結	果
	末	

❸

	優	
宛	先	行
	生	

p.74

❶

	上	
物	品	物
	目	

❷

	計	
絵	画	面
	質	

❸

	算	
奇	数	量
	学	

p.86

❶

	頭	
腹	痛	手
	切	

❷

	文	
発	明	白
	細	

❸

	完	
達	成	功
	就	

参考図書

・ひとりだちするための進路学習
・ひとりだちするための調理学習
・ひとりだちするための国語
・ひとりだちするための算数・数学
・ひとりだちするためのビジネスマナー&コミュニケーション
・ひとりだちするためのトラブル対策
・ひとりだちするためのライフキャリア教育

イラスト(表紙・本文):スタジオ糸

ひとりだちするための国語ワーク❶ー読む・書く編ー

2021年10月15日　初版発行
2024年3月15日　初版第2刷発行

発行所　株式会社エストディオ　出版事業部
(日本教育研究出版)

東京都目黒区上目黒3-6-2 伊藤ビル302
TEL 03-6303-0543　FAX 03-6303-0546
WEB http://www.estudio-japan.com

ISBN978-4-931336-38-4 C7081